Chères lectrices,

Le voici de retour, ce bien-aimé mois de mai ! Certes, il n'est pas toujours aussi joli que le proverbe veut bien nous le faire croire — il lui arrive même d'arborer une allure hivernale, n'hésitant pas à arroser les stars du festival de Cannes ! Mais reconnaissons qu'il nous réserve aussi de très agréables surprises : des jours fériés en cascade qui sont comme un avant-goût des vacances, quelques journées ensoleillées qui nous permettent d'étrenner nos tenues estivales, des soirées plus longues où l'ont peut s'attarder à la terrasse des cafés et savourer des moments de pur *farniente*… Bref, quoique incertain, ce mois printanier est toujours plein de promesses — à nous de saisir les occasions d'en profiter pour qu'il soit, comme promis, le plus joli de l'année !

A très bientôt,

La responsable de collection

La captive de Dionysios

LYNNE GRAHAM

La captive de Dionysios

COLLECTION AZUR

Cet ouvrage a été publié en langue anglaise
sous le titre :
EXPECTANT BRIDE

Traduction française de
MARIE-NOËLLE TRANCHART

HARLEQUIN®

est une marque déposée du Groupe Harlequin
et Azur ® est une marque déposée d'Harlequin S.A.

Toute représentation ou reproduction, par quelque procédé que ce soit, constituerait
une contrefaçon sanctionnée par les articles 425 et suivants du Code pénal.
© 1999, Lynne Graham. © 2003, Traduction française : Harlequin S.A.
83-85, boulevard Vincent-Auriol, 75013 PARIS — Tél. : 01 42 16 63 63
Service Lectrices — Tél. : 01 45 82 47 47
ISBN 2-280-20201-8 — ISSN 0993-4448

1.

— Mais pourquoi as-tu mis cette horreur sur ta tête ? demanda Meg Bucknall tout en pressant le bouton d'appel de l'ascenseur de service.

D'un geste machinal, Eleanor tapota le foulard grisâtre dont elle avait couvert ses cheveux d'un blond si pâle qu'il paraissait cendré.

— C'est… euh, c'est pour éviter de me salir.

— Oh, là, là ! Tu en fais, des histoires !

Eleanor laissa échapper un petit soupir. Son hésitation fut de courte durée. Pourquoi ne pas expliquer franchement à sa collègue ce qu'il en était, après tout ?

— Presque tous les soirs, il y a un type qui travaille tard à mon étage. Il… euh…

Meg devina sans peine la suite.

— Il essaie de te draguer, c'est ça ?

Cela ne l'étonnait pas. Même vêtue d'un sac à pommes de terre, Eleanor réussirait encore à attirer l'attention de ces messieurs. Petite, mais très bien proportionnée, avec juste ce qu'il fallait de courbes tentantes, sans parler de ses cheveux d'une étonnante nuance, de ses yeux vert émeraude frangés de cils épais, interminables… En un mot, elle était superbe !

— Evidemment ! grommela Meg. Il s'imagine qu'une simple femme de ménage va tout de suite tomber à ses pieds ! Quel âge a-t-il ?

— Il est assez jeune.

La cabine de l'ascenseur venait d'arriver. Elles y pénétrèrent toutes les deux.

— Le problème, c'est qu'il devient pesant ! enchaîna Eleanor. Je ferais peut-être bien d'en parler au chef d'équipe…

— Non. Oh, non, surtout pas ! Les histoires de ce genre ne doivent jamais remonter jusqu'aux chefs… Sinon tu peux être sûre que c'est toi qui auras des ennuis.

— Mais…

— Tâche de regarder les choses en face, Eleanor. Si ce type travaille tard, c'est forcément quelqu'un d'important. Et si on doit renvoyer quelqu'un, ce sera bien évidemment la petite femme de ménage, pas le cadre supérieur !

— C'est vraiment injuste ! lâcha Eleanor dans un soupir. Pourquoi faut-il que les hommes aient toujours le dernier mot ?

— Celui-là doit être vraiment pénible pour avoir réussi à te mettre dans un état pareil. Tiens, j'ai une idée ! Ce soir, tu n'as qu'à t'occuper de mon étage et moi, je me chargerai du tien. D'accord ? Au moins, tu pourras travailler tranquillement.

— Je n'ai pas de badge pour aller au dernier étage, objecta Eleanor.

Meg, une femme d'une cinquantaine d'années ayant son franc-parler, haussa les épaules.

— Quelle importance ? Tous ces règlements sont ridicules. On n'a tout de même pas besoin d'une permission spéciale pour passer l'aspirateur et vider des corbeilles à papier !

Après un silence, elle ajouta :

— Mais si par hasard l'un des gardiens faisait un tour pendant que tu es là-haut, tâche de l'éviter. On ne sait jamais avec eux : parce qu'ils portent un uniforme, ils se croient de petits chefs et seraient tout à fait capables de nous dénoncer.

Là-dessus, Meg poussa son chariot dans le couloir de l'étage dont Eleanor était habituellement chargée.

8

— Tu nettoies là-haut exactement comme ici, expliqua-t-elle à Eleanor. Mais surtout, ne franchis pas la grande porte laquée ! Une porte à double battant…

Eleanor eut un rire nerveux.

— J'ai l'impression d'entendre les recommandations de Barbe-Bleue. « Voici les clés de la maison, mais ne touche en aucun cas à cette petite clé… ». Alors, raconte, qu'y a-t-il derrière la porte mystérieuse ?

— Les bureaux de M. Alexiakis. Je n'ai pas le droit d'y mettre les pieds. Et toi non plus, par conséquent.

— D'accord. Merci, Meg !

Eleanor n'avait encore jamais eu l'occasion de se rendre au dernier étage de l'immeuble où se trouvait le siège social londonien d'Alexiakis International.

En sortant de l'ascenseur de service, elle foula une épaisse moquette beige. Ici, tout semblait plus luxueux, plus confortable… Et puis la disposition des bureaux était différente de celle des autres étages. Même si la plupart des lampes étaient éteintes, elle put distinguer un vaste espace de réception meublé de canapés de cuir et de tables basses.

Au fond de cet espace de réception, dans la semi-obscurité, elle aperçut une imposante porte à double battant. C'était là que devaient se trouver les bureaux de M. Alexiakis. Mieux valait donc aller de l'autre côté.

Ravie à la perspective de pouvoir travailler sans craindre d'être importunée par Ricky Bolton, elle poussa son chariot dans le couloir. Au fond, il y avait une seconde porte à double battant…

Sans la moindre méfiance, elle l'ouvrit et, avec des gestes de routine, alla prendre la corbeille à papier débordante qui se trouvait sous le bureau. La pièce voisine était encore occupée. Deux hommes discutaient… D'ordinaire, elle aurait aussitôt manifesté sa présence. Mais était-ce bien prudent ? Elle n'avait pas le droit d'être ici et elle ne voulait en aucun cas causer d'ennuis à Meg.

Eleanor s'apprêtait à quitter ce bureau quand elle aperçut une silhouette masculine à l'autre bout du couloir. Il se dirigeait droit vers la pièce où elle se trouvait ! Sans réfléchir, le cœur battant à tout rompre, elle courut se réfugier derrière la porte.

9

L'homme s'arrêta à deux pas d'elle, de l'autre côté du battant. Il était si près qu'elle pouvait entendre son souffle. Terrifiée, elle n'osait plus respirer…

Dans le bureau voisin, la discussion se poursuivait.

— … par conséquent, tant que je prétends paraître intéressé par l'achat de Danson Components, personne ne s'imaginera que j'ai des vues sur Palco Technic. Je me manifesterai dès l'ouverture des marchés, mercredi.

Derrière la porte, à quelques centimètres d'Eleanor, il y eut un petit « oh ! » quasiment imperceptible. Elle se sentit soudain complètement idiote. Pourquoi s'était-elle dissimulée ? Le chariot qu'elle avait laissé dans le couloir ne signalait-il pas sa présence ?

A son grand soulagement, l'homme fit demi-tour. Au moins, il ne l'avait pas découverte ! Elle aurait eu l'air tellement ridicule…

Pour s'assurer qu'il s'éloignait pour de bon, elle sortit de sa cachette sur la pointe des pieds.

Juste à ce moment-là, la porte de communication entre les deux bureaux s'ouvrit en grand. Un autre homme apparut. Vêtu d'un costume sombre à la coupe parfaite, il paraissait si grand, si fort — si terrifiant, aussi —, qu'elle eut envie de disparaître sous terre.

— Que faites-vous ici ? s'enquit-il avec brusquerie.

Dans son visage bronzé, ses prunelles sombres étincelaient de colère contenue.

— Je… j'allais partir…, balbutia-t-elle.

— Vous étiez en train de nous écouter !

Pourquoi semblait-il aussi fâché ? Soudain, elle le reconnut et son désarroi fut total. Bien entendu, elle n'avait jamais eu l'occasion de le rencontrer en chair et en os ! Mais il y avait sa photo dans le hall. Et dans tant de magazines…

Eleanor Morgan se trouvait devant le célèbre multimilliardaire grec, le séduisant Dionysios Alexiakis lui-même ! Dio pour les intimes…

Quelle poisse ! Elle avait ouvert la mauvaise porte ! Les conséquences de son étourderie seraient dramatiques. Car elle allait perdre son job… et Meg aussi, vraisemblablement !

L'homme aux cheveux gris qui suivait le magnat grec toisa l'intruse avec méfiance.

— Ce n'est pas la femme de ménage habituelle, Dio. Je vais me renseigner auprès du service de sécurité.

— C'est inutile ! protesta Eleanor. Ce soir, je remplace exceptionnellement Meg Bucknall. C'est tout… Je suis désolée, je ne voulais pas vous déranger. D'ailleurs j'étais sur le point de sortir et…

— Vous n'aviez rien à faire ici, déclara l'homme aux cheveux gris.

Dionysios Alexiakis la fixait sans ciller.

— Elle était cachée derrière la porte, Millar.

— Pourquoi aurais-je agi ainsi ? protesta-t-elle. Ça n'a pas de sens… Je ne suis qu'une femme de ménage ! J'ai eu tort de venir ici, je le reconnais. Ce n'est pas ma faute : je me suis trompée de porte… d'ailleurs, je m'en vais tout de suite !

Les doigts de Dio Alexiakis se refermèrent brusquement sur son poignet.

— Ah, non, vous n'allez pas partir comme ça ! Comment vous appelez-vous ?

— Eleanor Morgan.

Il arracha le foulard gris qu'elle avait noué sur sa tête. Ses cheveux d'or pâle tombèrent sur ses épaules, encadrant son ravissant visage à l'ovale parfait, ses immenses yeux verts assombris par la peur…

Dio Alexiakis la détailla de la tête aux pieds. Son regard, furibond une seconde auparavant, avait déjà changé. Elle y reconnut une lueur qu'elle ne connaissait que trop bien… Cette lueur d'admiration et de convoitise qu'elle avait déjà lue dans les yeux de tant d'hommes !

— Vous n'avez pas l'air d'une femme de ménage, déclara-t-il enfin.

— Vous en connaissez beaucoup ? ne put-elle s'empêcher de rétorquer.

Après avoir passé un bref coup de téléphone, Millar les rejoignit.

— Il y a bien une Eleanor Morgan dans l'équipe de nettoyage, mais elle est chargée du huitième étage. Elle n'a pas l'autorisation de monter ici. Je vais demander à son chef de service de venir pour l'identifier.

— Non, coupa Dionysios Alexiakis. Moins il y aura de gens au courant de cette histoire, mieux cela vaudra.

Il la lâcha et alla se percher sur un coin du bureau. D'un geste impérieux, il désigna un siège.

— Asseyez-vous !

— Mais…

— Asseyez-vous, ai-je dit !

Elle fut bien obligée d'obéir. Même si elle comprenait mal que Dio Alexiakis fasse un tel drame pour si peu.

— Maintenant, vous allez m'expliquer les raisons de votre présence à cet étage. Pourquoi vous êtes-vous cachée dans ce bureau ?

Eleanor pinça les lèvres. Si elle éclatait en sanglots, comme elle en avait bien envie, peut-être la laisserait-il tranquille ? Il lui suffit de rencontrer le regard dur du P.-D.G. d'Alexiakis International pour renoncer à la comédie des larmes. Rien ni personne ne pouvait émouvoir cet homme !

— J'ai des problèmes avec quelqu'un qui travaille tard au huitième étage, expliqua-t-elle.

— Quel genre de problèmes ? demanda Millar.

Les yeux de Dio Alexiakis se posèrent sur les longues jambes d'Eleanor, remontèrent vers sa poitrine…

— Regardez-la, Millar ! lança-t-il avec un ricanement. Vous aurez la réponse !

Eleanor s'obligea à poursuivre :

— J'ai parlé de cela à Meg Bucknall, la personne qui fait d'habitude le ménage ici.

Modifiant légèrement la vérité, elle poursuivit :

— Je l'ai suppliée d'échanger nos étages, juste pour un soir. J'ai eu du mal à la persuader d'accepter… mais enfin, elle a bien voulu. Elle m'a dit de ne surtout pas ouvrir la grande porte à double battant… Mais il y a *deux* grandes portes à double battant !

— Exact.

— Je me suis trompée. Quand je l'ai compris, j'ai voulu partir. Cependant, juste à ce moment-là, j'ai entendu quelqu'un approcher.

12

J'ai cru qu'il s'agissait d'un gardien, et comme je ne voulais pas causer d'ennuis à Meg Bucknall, je me suis dissimulée derrière la porte sans même prendre le temps de réfléchir. Je sais, c'était idiot…

— Il n'y a pas eu de ronde de sécurité depuis 18 heures, déclara Millar. Et quand M. Alexiakis est arrivé ici, voici dix minutes, l'étage était vide.

— Je ne sais pas qui c'était, reprit Eleanor. Il est resté sur le seuil pendant trente secondes, pas davantage. Et puis il est parti.

Dio Alexiakis se tourna vers son subordonné.

— Vous pouvez rentrer chez vous, Millar. Je m'occupe de cette histoire.

— Je peux très bien m'en charger. Je…

— Vous m'avez dit que vous étiez invité à dîner, non ?

— Certes. Mais…

— Allez-y ! Vous êtes déjà en retard !

— Comme vous voulez, Dio. Merci. Et sachez que je vais beaucoup penser à vous demain…

— Merci.

Après le départ de Millar, Dio Alexiakis déclara d'un ton menaçant :

— Vous avez entendu des informations confidentielles…

— Je n'écoutais pas !

— Je vais vous poser deux questions. Tout d'abord, tenez-vous à votre emploi ?

— Evidemment !

— Et vous aimeriez que celle que vous avez remplacée ce soir garde son job, elle aussi ?

Eleanor pâlit.

— Je vous en prie ! Ne la renvoyez pas pour cela. Tout est ma faute !

— C'est la sienne aussi. Elle n'avait pas à désobéir au règlement ! Mais si, comme je le suppose, vous êtes un espionne à la solde de mes concurrents, je suppose que vous l'avez payée grassement pour qu'elle accepte cet échange ?

Eleanor tombait des nues.

— Une espionne ? Moi ?

— Vous avez prétendu que quelqu'un d'autre était venu à cet étage pendant que je discutais avec Millar. C'est un peu trop facile ! Vous préparez déjà votre alibi pour le cas où des informations ultraconfidentielles filtreraient !

— C'est une histoire de fous !

— Peut-être. Il n'empêche que je ne peux pas me permettre de vous laisser partir maintenant. Ce serait trop risqué, étant donné l'enjeu...

— Je ne comprends rien à ce que vous racontez !

— Si vous communiquez ce que vous avez appris à ceux que cela intéresse, mes projets se trouveraient sérieusement mis à mal.

— Je vous promets que je ne répéterai ça à personne !

Il eut un sourire sardonique.

— Vous vous souvenez donc de ce que vous avez entendu. Alors qu'il y a une seconde, vous affirmiez ne pas avoir écouté !

Eleanor était tombée dans le piège... Il était très fort, dut-elle reconnaître. Mais s'il ne l'était pas, occuperait-il un tel poste ? Non, bien entendu !

Dio Alexiakis consulta sa montre ultraplate en or.

— Si je peux conclure cet accord mercredi matin, vous garderez votre travail — tout comme l'irresponsable qui vous a permis de monter ici à sa place.

— Ah !

— Je n'ai pas fini ! Comme il est hors de question que vous alliez répéter sur tous les toits ce que vous avez entendu, je ne vous quitterai pas des yeux d'ici là. Vous avez un passeport ?

— Pourquoi ?

— Je pars pour la Grèce ce soir. Comme je tiens à vous garder sous stricte surveillance, vous m'accompagnerez.

— Vous êtes complètement fou ! s'exclama-t-elle, sidérée.

— Habitez-vous seule ou avec quelqu'un ?

— Seule.

— Vous m'étonnez. Où est votre passeport ?

— Dans le tiroir de ma table de nuit.

— Eh bien, ma chère, il va falloir que vous fassiez un petit saut en Grèce. Honnêtement, je ne vois pas d'autre solution. A moins de vous enfermer dans une cave sans téléphone ? Mais je me vois mal demandant à mes domestiques de garder une prisonnière en mon absence. Ah, autre chose ! Il va falloir que vous m'accompagniez de votre plein gré.

— Et… et quoi encore ?

— Pas de scandale à l'aéroport. C'est compris ?

Il appuya sur deux touches de son téléphone portable et donna quelques ordres en grec. En l'entendant prononcer son nom, Eleanor se raidit.

— Je… je vous jure que je ne dirai à personne ce que…

— Désolé, vos protestations ne me suffisent pas. Il faut prendre des mesures. Je viens de donner des ordres pour qu'on aille ouvrir votre casier dans les vestiaires pour y prendre vos clés.

Eleanor sursauta.

— Pourquoi ?

— Pour aller chez vous chercher votre passeport. On vous l'apportera à l'aéroport.

Elle se leva d'un bond.

— Cette petite plaisanterie a assez duré ! Vous n'avez pas le droit de disposer de moi comme… comme d'un objet ! Je m'en vais.

Il la fixa, les yeux rétrécis.

— Je ne peux pas vous empêcher de partir d'ici. Mais alors, ce sera la porte pour de bon. Et croyez-moi, je n'hésiterai pas une seconde à vous renvoyer, vous et votre complice ! Vous feriez mieux d'accepter ma proposition.

— Vous ne vous rendez pas compte : c'est ridicule ! Ça ne tient pas debout ! Comment est-il possible que je risque ma place en racontant les quelques mots que j'ai entendus ? Des mots qui, d'ailleurs, n'avaient aucun sens pour moi !

— Une telle information pourrait vous rapporter gros. Cela me semble être une motivation suffisante. Bon, vous venez ? Un hélicoptère nous attend pour nous emmener à l'aéroport.

— Un… un hélicoptère ?

15

S'il lui avait dit qu'ils allaient partir à dos de chameau, elle n'aurait pas été plus étonnée.

Comme elle demeurait clouée sur place, Dio Alexiakis la prit par la main et l'entraîna à grandes enjambées dans un autre bureau. Un bureau immense — le sien, vraisemblablement. Il jeta un pardessus en cachemire marine sur ses épaules avant de repartir d'un bon pas. Bon gré, mal gré, elle dut monter avec lui un étroit escalier qui débouchait sur le toit-terrasse aménagé en piste d'atterrissage pour hélicoptère.

L'appareil attendait déjà.

Un violent coup de vent lui plaqua les cheveux sur le visage.

— Ce... ce n'est pas possible ! marmonna-t-elle.

— Dépêchez-vous.

— Je... je n'ai même pas eu le temps de prendre mon manteau !

Il lui jeta le sien sur les épaules. Il était tiède, incroyablement léger et exhalait une légère odeur très agréable, mélange de vétiver et de girofle poivré.

Elle le lui rendit aussitôt.

— Je ne veux pas de votre pardessus ! J'aime mieux attraper une pneumonie.

— Libre à vous.

Eleanor était sur le point de protester mais se tut en apercevant le pilote. Ce dernier paraissait tellement étonné de voir son patron en compagnie d'une femme qui portait une blouse de ménage qu'elle jugea inutile de tempêter et d'insulter le P.-D.G. d'Alexiakis International. Même si ce n'était pas l'envie qui lui en manquait...

Quand, d'un geste, Dio Alexiakis lui ordonna de monter dans l'hélicoptère, elle s'exécuta sans mot dire.

— Je vous achèterai quelques vêtements à l'aéroport, déclara-t-il en lui indiquant un siège.

Il lui adressa un coup d'œil peu amène avant d'ajouter :

— On aura sûrement du temps à tuer ! D'ici à ce qu'on vous apporte votre passeport...

Le pilote s'installa aux commandes. Quelques instants plus tard, le moteur gronda et le rotor parut s'emballer.

« Je rêve ! » pensa Eleanor quand l'appareil s'éleva dans le ciel sombre. « Mais s'agit-il d'un rêve ou bien d'un cauchemar ? Est-ce à moi, vraiment à *moi* qu'arrive une aventure aussi extravagante ? »

Elle jeta un coup d'œil en contrebas et vit toutes les lumières de Londres dans un kaléidoscope gigantesque.

Un étrange sentiment d'irréalité s'empara d'elle. Après avoir eu recours à une espèce de chantage, voilà que Dio Alexiakis la kidnappait !

Certes, il lui avait laissé le choix, mais comment aurait-elle pu le laisser renvoyer Meg ? Cette dernière ne pouvait pas compter sur son mari infirme pour l'aider financièrement. Elle avait absolument besoin de son salaire !

C'était d'ailleurs son cas, à elle aussi. Oh, si elle l'avait voulu, elle aurait pu largement se contenter de ce qu'elle gagnait pendant la journée… D'autant plus qu'elle vivait de trois fois rien, économisant tout ce qu'elle pouvait dans un seul but : acheter la librairie où elle était employée comme vendeuse depuis qu'elle avait seize ans. Pour obtenir un prêt à la banque afin de réaliser son projet, il lui fallait justifier de revenus réguliers relativement importants. Voilà pourquoi elle travaillait de jour… et une partie de la nuit.

Le moment qu'elle attendait ne tarderait pas, elle le sentait… Le propriétaire de la librairie, un homme âgé, commençait à penser à sa retraite et ne demandait pas mieux que de lui céder son fonds de commerce !

Elle observa Dio Alexiakis entre ses cils baissés.

Cet homme était parano ! Elle, une espionne ? Ridicule…

Il devait lire beaucoup de romans policiers pour s'imaginer qu'une simple employée l'ayant entendu par hasard parler affaires aurait l'idée de raconter cela partout !

Oui, mais elle n'avait rien à faire au dernier étage. Et, de surcroît, il l'avait surprise aux aguets derrière une porte…

En toute honnêteté, Eleanor devait reconnaître que les apparences étaient contre elle. Ce n'était tout de même pas une raison pour que Dio Alexiakis la traîne partout avec lui jusqu'à mercredi matin !

« Il est fou », conclut-elle. « Complètement fou ! »

De plus, elle n'avait pas apprécié la manière dont Dio Alexiakis l'avait observée à plusieurs reprises. Elle avait eu la troublante impression qu'il la déshabillait du regard… Pour avoir voulu échapper aux avances pesantes d'un Ricky Bolton, voilà qu'elle se retrouvait dans une situation bien pire ! Même si Ricky était pot de colle, elle avait toujours réussi à le repousser. Tandis qu'avec ce Grec trop arrogant, qu'elle trouvait encore plus antipathique que le dragueur du huitième étage, elle ne savait comment s'y prendre.

« L'ennui avec ces types trop riches, c'est qu'ils croient que tout leur est dû, se dit-elle. Ils ne peuvent pas rencontrer une femme sans l'imaginer aussitôt dans leur lit. »

Lorsqu'ils furent arrivés à l'aéroport, Dio Alexiakis entraîna Eleanor dans la galerie marchande. Il pénétra dans l'une des plus grandes boutiques et sélectionna tout d'abord un tailleur noir.

Dans un coin, deux vendeuses discutaient sans leur prêter la moindre attention. En revanche, quand le magnat grec se pencha pour s'emparer d'un grand feutre qui décorait la vitrine, la directrice du magasin, une femme élégante aux cheveux gris et à l'allure hautaine, s'approcha d'un air désapprobateur.

— Monsieur…

Dio Alexiakis ne parut pas l'entendre. Il allait d'un rayon à l'autre, attrapant ici une robe d'été, là un autre tailleur, plus loin un long manteau noir…

Il désigna, toujours dans la vitrine, un mannequin vêtu d'un short rose vif et d'une chemise assortie.

— Nous prendrons ce petit ensemble aussi.

— Nous n'avons plus ce modèle, monsieur, lança la commerçante d'un ton acide.

— Par exemple ! Il reste celui-ci… je le veux !

Horriblement gênée, Eleanor murmura :

— Monsieur Alexiakis…

La directrice du magasin sursauta.

18

— Monsieur… monsieur Alexiakis ?

— Lui-même, confirma Dio. Le propriétaire de cette chaîne de magasins.

Cette fois, c'était son tour de toiser la commerçante d'un air plein de désapprobation.

— Dites-moi, vos vendeuses ont l'habitude de papoter sans prêter la moindre attention à ce qui se passe autour d'elles ? Je vous rappelle la règle n° 1 de tout commerçant qui se respecte : le client est roi !

— Oui, monsieur. Naturellement, monsieur…

Il lui coupa la parole.

— Il nous faut aussi des chaussures et de la lingerie. Quelle taille faites-vous, Eleanor ?

Toute tremblante de colère, elle balbutia :

— Je… je n'ai jamais eu aussi honte de ma vie !

— Pas de manières, je vous en prie ! Si vous croyez qu'on a du temps à perdre ! Choisissez des dessous, des…

Les yeux étincelants, elle lui tint tête.

— Vous n'allez sûrement pas rester là pendant que je choisis des sous-vêtements ! De toute manière, je n'ai pas besoin de beaucoup de choses…

— Dans mon entreprise, je vous paie pour obéir sans discussion.

— S'il faut en plus que je vous supporte…

Il la fixa d'un regard plus noir que jamais.

— Personne ne s'est jamais permis de me parler sur ce ton !

— Oh, arrêtez de vous prendre pour le roi du monde !

Pour la première fois, Dio Alexiakis parut perdre contenance.

— Je… euh, je…

— Vous avez été odieux depuis que vous êtes entré ici. Vous ne vous rendez donc pas compte que vous faites peur à tout le monde ?

C'était la vérité. La directrice et ses deux vendeuses paraissaient absolument terrifiées.

Dio Alexiakis jura entre ses dents. Mais il ne chercha pas à accompagner Eleanor au rayon lingerie où elle prit une chemise de nuit et quelque sous-vêtements.

Quand elle revint, il ordonna :

— Maintenant, choisissez des escarpins noirs et des sandales de la couleur qui vous chante. Pour le voyage, vous mettrez cet ensemble en lin.

Du doigt, il désigna une cabine.

— Et allez essayer tout ça.

Rouge de confusion, Eleanor courut s'y enfermer.

Lorsqu'elle en sortit, vêtue de l'ensemble grège qui lui allait comme un gant, Dio hocha la tête.

— Très bien.

Les vendeuses étaient en train de mettre tous leurs achats dans des sacs. Etonnée par le volume qu'ils représentaient, Eleanor fronça les sourcils.

— Je ne comprends pas. Il y a tant de vêtements que cela ?

— J'ai ajouté deux ou trois petites choses pendant que vous faisiez les essayages. Vous ne pourrez pas vous plaindre de ne rien avoir à vous mettre sur le dos !

Ils sortirent enfin de la boutique, chargés de paquets. En passant devant une échoppe où l'on vendait des produits d'hygiène et des cosmétiques, Dio grommela avec exaspération :

— Je suppose que vous voulez vous arrêter là aussi ?

— Non, je me débrouillerai. Les hommes de la préhistoire se nettoyaient les dents à l'aide d'un bout de bois. J'en trouverai bien un !

Dio la regarda avec stupeur. Puis, à sa grande surprise, il éclata de rire. Et il lui parut alors incroyablement séduisant...

Elle détourna la tête, le souffle coupé. Mais le beau visage de Dio restait imprimé dans sa rétine. Et elle eut le pressentiment qu'il y resterait longtemps...

Pourtant, il ne faisait pas le moindre effort pour lui plaire ! Bien au contraire... Elle était cependant très consciente de sa présence, de sa sensualité, de sa virilité. Et à la perspective de devoir rester en compagnie de cet homme jusqu'à mercredi, elle se sentit soudain extrêmement vulnérable.

Elle n'avait que vingt et un ans, mais elle avait conclu depuis longtemps que les hommes ne valaient pas la peine qu'on s'intéresse à eux.

Ils traversaient maintenant l'aéroport, Dio marchant à grandes enjambées. Lorsque Eleanor marqua un brusque mouvement d'arrêt, il se retourna, agacé.

— Que vous arrive-t-il, maintenant ?

— Je voudrais descendre aux toilettes. Avez-vous l'intention de m'y accompagner ?

— Je vous donne deux minutes.

Après avoir déposé tous ses paquets aux pieds du P.-D.G. d'Alexiakis International, elle se dirigea vers l'escalier.

— Eleanor ?

— Oui ?

Avec un sourire sarcastique, il lui tendit un peigne.

— Profitez-en pour vous recoiffer un peu.

De nouveau, elle rougit. Dans la cabine d'essayage, elle n'avait prêté aucune attention à son apparence, se contentant seulement de vérifier si les vêtements choisis étaient à sa taille.

Une fois arrivée devant un lavabo, elle se lava les mains et se donna un coup de peigne. La glace lui renvoya son image. Une image qui n'était pas vraiment la sienne… Jamais elle n'avait eu l'occasion de porter un ensemble d'une élégance aussi stylisée. Mais elle devait reconnaître qu'il lui seyait à merveille !

Curieux que Dio Alexiakis ait su choisir des vêtements à sa taille. Curieux ? Pas vraiment… A vingt-neuf ans, cet homme qu'une certaine presse considérait comme un séducteur impénitent ne devait plus avoir besoin d'un centimètre de couturière pour prendre les mesures d'une femme.

Eleanor s'efforça de voir le bon côté de l'aventure. Elle allait faire un petit tour en Grèce. Et, forcément, dans de fort luxueuses conditions… Si elle n'avait pas été obligée de subir la présence de Dio Alexiakis, ç'aurait été parfait !

« En fin de compte, ce sera plus amusant que de passer l'aspirateur dans des bureaux… », se dit-elle.

Elle sursauta. Il fallait absolument qu'elle prévienne M. Barry ! Ce dernier ne se montrait jamais à la librairie avant midi. Il comptait sur elle pour l'ouvrir le matin ; il allait sûrement s'imaginer qu'elle était malade en ne la voyant pas.

Mais elle ne pouvait tout de même pas lui raconter qu'elle partait pour la Grèce ! Il fallait qu'elle trouve un prétexte quelconque pour justifier son absence…

En se cachant derrière deux Américaines corpulentes, elle réussit à sortir des toilettes sans se faire remarquer par Dio. Ce dernier semblait occupé à autre chose : son téléphone portable à l'oreille, il devait être en train de donner des ordres… comme d'habitude !

Eleanor courut jusqu'aux cabines téléphoniques qui s'alignaient le long d'un mur, un peu plus loin. L'ennui, c'était qu'elle devait appeler en P.C.V., puisqu'elle n'avait pas un penny sur elle. Ce qui allait lui faire perdre des instants précieux !

Juste au moment où l'opérateur répondait, Dio se tourna vers elle. Elle s'empressa de raccrocher. Mais il était trop tard… Il l'avait vue !

Pétrifiée, terrifiée, elle s'immobilisa tandis qu'il s'avançait vers elle d'un air menaçant.

2.

— Vous avez profité d'un instant d'inattention pour communiquer à mes concurrents les informations que vous avez obtenues frauduleusement ! lança-t-il.

— Pas du tout ! Je…

— Vous avez fait votre choix. Très bien ! Tant pis pour vous…

Il la toisa d'un air glacial avant de laisser tomber ces trois mots d'une voix qui claqua comme un coup de fouet :

— Je vous détruirai.

Là-dessus, il lui tourna le dos. Sidérée, Eleanor le regarda s'éloigner. Voilà qu'elle se retrouvait à l'aéroport, sans un sou, et avec cette menace dont l'écho ne cessait de résonner à ses oreilles. Soit, Dio Alexiakis allait la détruire. Mais il allait détruire l'existence de Meg du même coup !

Elle courut après lui.

— Ce n'était pas pour raconter vos stupides histoires que j'essayais de téléphoner ! s'écria-t-elle. Comme je n'ai pas un sou sur moi, j'étais obligée d'appeler en P.C.V. et de passer par un opérateur. Oh, ce que vous pouvez être têtu ! Tout de suite, vous imaginez le pire… Je voulais simplement prévenir mon patron à la librairie. Normal, non ?

— Quelle librairie ?

Eleanor bondit.

— Qu'avez-vous fait de tous mes sacs ? Oh, vous êtes parti en les laissant par terre ! Vous êtes complètement inconscient ! On va les voler — ou bien on va penser qu'il y a une bombe dedans !

Elle courut les récupérer.

— Quelle librairie ? redemanda Dio quand elle le rejoignit.

— Je travaille dans une librairie pendant la journée. J'occupe le petit appartement situé juste au-dessus. Il faut absolument que je prévienne M. Barry de mon absence. Si je disparais du jour au lendemain, il va appeler la police…

Dio laissa échapper un rire bref.

— Il pensera plutôt que vous êtes partie avec votre petit ami. On ne peut pas faire confiance aux employées de votre âge. Un jour elles sont là, le lendemain… qui sait ?

Cette fois, Eleanor explosa.

— J'en ai assez de vos discours de stupide macho ! Primo, je n'ai pas de petit ami. Secundo, M. Barry me fait confiance. Je travaille depuis plus de cinq ans pour lui, quand même ! C'est moi qui gère pratiquement la boutique. Et je n'ai pas manqué un seul jour…

— Alors pourquoi vous amusez-vous à faire du ménage dans des bureaux cinq soirs par semaine ?

— Parce que j'ai besoin d'argent. Et de toute manière, mon emploi du temps ne vous regarde pas.

— Ce que vous pouvez être insolente !

— Vous ne l'êtes pas, vous ?

Sans remarquer la stupeur de Dio Alexiakis, auquel nul ne s'était probablement jamais adressé ainsi jusqu'à présent, elle poursuivit :

— Je n'ai rien fait de mal ! Juste une petite entorse de rien du tout à un règlement draconien… Et on me traite comme si j'avais commis un crime ! Quand je pense que…

— Vous aurez bientôt fini ? coupa-t-il d'un ton dur. Si vous croyez que je suis d'humeur à écouter vos discours ! Ce n'est vraiment pas le jour. Allons, venez, nous avons déjà perdu assez de temps.

— Vous me croyez, alors ?

— Non. Je vous avais demandé de ne contacter personne et vous, qu'est-ce que vous faites, dès que j'ai le dos tourné : vous vous précipitez sur le téléphone ! En fin de compte, vous n'êtes rien d'autre qu'une sournoise, une tricheuse…

24

— C'est faux !

— Vous auriez pu m'expliquer que vous aviez un autre employeur — si du moins c'est la vérité ! Pourquoi, au lieu de parler ouvertement, faites-vous les choses en douce ?

Eleanor ne mentait jamais. Bien au contraire, elle avait plutôt tendance à être trop franche, ce qui lui avait valu quelques inimitiés.

Mais elle préféra s'abstenir et ils allèrent s'installer dans un salon réservé aux V.I.P. Ce fut là que, une demi-heure plus tard, un certain Demitrios apporta à Dio le passeport et les clés d'Eleanor.

Ignorant complètement cette dernière, les deux hommes se mirent à discuter en grec. Pendant très longtemps… Agacée d'être ainsi mise à l'écart, elle ne put s'empêcher de lancer d'un ton acide :

— J'espère que vous n'avez pas mis mon appartement sens dessus dessous.

Les deux hommes se tournèrent vers elle, aussi stupéfaits l'un que l'autre. Comment, elle avait osé les interrompre ?

— J'espère aussi que vous avez tout fermé convenablement en partant.

Elle laissa échapper une brève exclamation.

— Et comment avez-vous fait avec le système d'alarme ? Il est relié directement au commissariat !

— Les hommes de mon service de sécurité ne sont pas des idiots, déclara Dio. Ils ont dû penser à neutraliser le système d'alarme avant d'entrer. Et ne vous inquiétez pas, ils ont certainement tout remis en ordre en partant.

— Eh bien, ils sont forts ! Où ont-ils appris tout ça ? Dans une association de malfaiteurs ?

Dio lui adressa un coup d'œil qui en disait plus que de longs discours. Sans se laisser impressionner, elle désigna les sacs qu'elle avait de nouveau posés par terre :

— Vous me traitez comme un de ces paquets ! C'est très impoli de ne pas paraître s'apercevoir de la présence de ceux qui sont avec vous.

« N'oublie pas que, dans l'esprit de ce grand patron, tu es une femme de ménage, se dit-elle. Pourquoi t'attends-tu à des égards de sa part ? »

Elle devait également se souvenir que Dionysios Alexiakis avait l'habitude que tout le monde soit à ses pieds. Il s'attendait qu'elle garde un silence respectueux jusqu'à ce qu'elle soit invitée à parler. Malheureusement, elle n'avait jamais eu sa langue dans sa poche…

Dans son léger ensemble en lin, elle eut soudain froid. Elle sortit le long manteau noir en cachemire de l'un des sacs et l'enfila après avoir arraché l'étiquette du prix. Un prix qui la fit ciller.

Dio Alexiakis lui tendit son téléphone portable.

— Tenez !

Elle le regarda d'un air interrogateur.

— Votre histoire tient la route. Demitrios vient de me le confirmer. Vous pouvez appeler le propriétaire de la librairie.

Elle composa le numéro. Dès qu'elle fut en communication avec M. Barry, ce dernier s'inquiéta :

— Que se passe-t-il pour que vous m'appeliez à une heure pareille ? Le magasin…

Elle le rassura tout de suite :

— Pas de problème de ce côté.

Mal à l'aise parce que Dio Alexiakis écoutait tout ce qu'elle disait, elle poursuivit :

— Ma grand-mère est souffrante et je dois m'occuper d'elle jusqu'à ce qu'un autre membre de ma famille arrive de province… Je serai probablement absente pendant deux ou trois jours. Je suis navrée de vous prévenir à la dernière minute, mais c'est un cas de force majeure…

Deux minutes plus tard, lorsqu'elle rendit son portable à Dio Alexiakis, il prit un air désapprobateur.

— Pour raconter des mensonges, vous êtes douée, on ne peut pas dire le contraire !

Quelques heures plus tard, dans la cabine du jet privé de l'homme d'affaires grec, Eleanor regardait autour d'elle avec curiosité. C'était probablement la première fois de sa vie — et sûrement la dernière ! — qu'elle voyageait en jet privé. Autant en profiter…

26

Les fauteuils en cuir, la moquette épaisse, les tables basses en acajou : on se serait cru dans un salon plutôt que dans un avion.

Bien évidemment, ils avaient manqué la tranche horaire impartie au jet pour son décollage, et il leur avait fallu attendre longtemps dans le salon des V.I.P.

Pendant que Dio Alexiakis, qui ne semblait pas être le plus patient des hommes, tournait en rond comme un ours en cage, Eleanor avait eu tout le temps de l'étudier.

Grand et mince, tout en muscles, il était vraiment très beau avec son profil aquilin, son menton volontaire, sa bouche sensuelle, ses cheveux sombres et légèrement bouclés, ses yeux si noirs dans son visage bronzé… Des yeux qui — elle l'aurait parié —, devaient avoir la couleur de l'ambre au soleil.

Comme les dizaines, les centaines de femmes qui avaient eu l'occasion d'approcher cet homme exceptionnel, Eleanor se sentait troublée, elle aussi. Quoi de surprenant ? Après tout, elle n'était pas de bois ! Même si, jusqu'à présent, elle l'avait cru…

Dio Alexiakis était d'une humeur épouvantable, mais il restait follement séduisant. Quand il allait et venait de ce pas élastique, on aurait cru un grand fauve.

Maintenant, assis dans l'un des fauteuils en cuir beige, les yeux clos, il semblait enfin se détendre. Soudain, il souleva les paupières. Leurs regards se rencontrèrent.

Le cœur battant à tout rompre, Eleanor détourna la tête en hâte.

— Nous n'arriverons pas avant 3 heures du matin, annonça-t-il. Allez vous étendre et tâchez de dormir.

— Où voulez-vous que j'aille m'étendre ? Par terre ?

En guise de réponse, il haussa les épaules. Puis il pressa un bouton.

L'hôtesse apparut immédiatement. Dio lui donna un ordre bref.

— Tout de suite, monsieur Alexiakis.

Et, se tournant vers Eleanor :

— Si vous voulez bien me suivre…

L'hôtesse l'emmena au fond de l'appareil, dans un compartiment semblable à celui de l'Orient-Express. Puis, discrètement, elle se retira. Eleanor s'assit au bord de la couchette et, machinalement, effleura ses lèvres pleines du bout de son index.

Que lui arrivait-il ? Dio Alexiakis avait réussi à la troubler comme jamais aucun homme auparavant. Un désir sensuel, presque primitif, la submergeait… Elle eut honte de sa réaction. D'ordinaire, ne se flattait-elle pas de pouvoir se dominer en toutes circonstances ?

Dio s'était-il rendu compte de l'effet qu'il avait sur elle ? De tout son cœur, elle espérait que non…

Deux heures plus tard, l'hôtesse vint la réveiller.

— Mademoiselle Morgan ?

— Oui ?

Eleanor se dressa sur la couchette et regarda autour d'elle d'un air égaré.

L'hôtesse toussota.

— Cela ne vous ennuierait pas de réveiller M. Alexiakis ? Nous atterrirons dans une demi-heure.

Eleanor se raidit.

— Quoi ? Vous voulez que…

— Il faut qu'il se prépare pour assister à l'enterrement. Quelqu'un doit le réveiller. Il vaudrait mieux que ce soit vous.

Un enterrement, maintenant ! songea Eleanor, abasourdie.

— Nous avons pris beaucoup de retard, reprit l'hôtesse. Une fois que nous arriverons à l'aéroport, M. Alexiakis aura tout juste le temps de se rendre directement à l'église.

L'employée lui adressa un petit sourire furtif avant de reprendre :

— Pour lui, cela va être un moment très pénible. Permettez-moi de vous dire que nous sommes tous très heureux qu'il vous ait amenée avec lui pour le soutenir dans ces instants difficiles.

Sur ces mots, elle s'éclipsa.

Horrifiée, Eleanor contempla les spots lumineux du plafond. Ainsi, c'était pour aller à des obsèques que Dio Alexiakis se rendait en Grèce ? Voilà pourquoi il lui avait acheté tous ces vêtements noirs…

Et, puisqu'elle l'accompagnait, le personnel de cabine en avait déduit qu'elle devait tenir une place importante dans sa vie !

Qui était mort ? Un parent ? Un ami ?

Elle sauta hors de la couchette et courut dans la petite salle d'eau attenante à la cabine. Prendre une douche ? C'était tentant, mais elle n'en avait pas le temps. Elle se contenta de se rafraîchir le visage avant de mettre le tailleur noir que Dio lui avait acheté.

Stupéfaite, elle contempla son reflet dans la glace fixée à la porte. Cet ensemble lui allait si bien ! La veste à la coupe parfaite marquait sa taille fine, moulait ses seins haut perchés. La jupe droite mettait en valeur la courbe de ses hanches et ses longues jambes.

Tout ce noir faisait ressortir ses cheveux blonds… et — c'était incroyable — ainsi vêtue, elle avait l'air d'une star !

Elle haussa les épaules. Comment pouvait-elle être aussi vaniteuse et superficielle ?

Furieuse contre elle-même, elle regagna la cabine-salon. Dio dormait dans l'un des fauteuils de cuir, sa longue silhouette pliée selon un angle inconfortable.

Il avait ôté sa cravate et déboutonné sa chemise, découvrant un torse bronzé et musclé. Il paraissait plus jeune, moins intimidant… et épuisé, aussi !

« C'est ma faute, pensa Eleanor avec confusion. S'il ne m'avait pas donné sa cabine, il aurait pu se reposer dans un vrai lit. »

Sa tension intérieure augmenta d'un cran. Elle s'en voulait, maintenant, de s'être montrée si agressive quand ils étaient encore à l'aéroport. Dio Alexiakis était de mauvaise humeur, certes. Mais étant donné les circonstances, cela semblait plus que compréhensible !

Elle posa la main sur l'épaule de l'homme d'affaires et le secoua doucement.

Il laissa échapper un léger soupir avant de soulever les paupières. Puis il consulta sa montre et se leva d'un bond.

— Monsieur Alexiakis…

— Oui ?

Faisant un effort, Eleanor déclara :

— Je… je ne savais pas que vous alliez à un enterrement. Si j'avais été au courant, je…

— Vous ne lisez pas les journaux ?

— Je n'en ai pas le temps.

— On enterre mon père ce matin, déclara-t-il d'un ton bref.

Là-dessus, il alla s'enfermer dans le cabinet de toilette.

Le malaise d'Eleanor décupla. Dio enterrait son père ? C'était pire… Dans un moment pareil, il se serait volontiers passé de la présence d'une parfaite étrangère ! Mais aussi, pourquoi avait-il tant insisté pour qu'elle l'accompagne ? Elle ne pouvait pas imaginer que les quelques mots qu'elle avait saisis soient si importants… Qu'avait-il dit, déjà ? Ah, oui, il prétendait s'intéresser à une compagnie alors que c'était en réalité sur l'autre qu'il avait des visées !

Elle haussa les épaules. Pour elle, tout cela n'avait absolument aucun sens.

A 7 heures du matin, par une superbe matinée ensoleillée, Dio Alexiakis et Eleanor Morgan débarquèrent à Athènes.

Toute vêtue de noir, coiffée du large chapeau que Dio avait sélectionné dans la vitrine, les yeux cachés par des lunettes de soleil aussi vastes que des hublots que le chef d'entreprise lui avait tendues avant de descendre de l'avion, Eleanor avait une allure folle. Cela ne l'empêchait pas d'avoir l'impression d'être déguisée.

Les formalités auxquelles étaient soumis les voyageurs ordinaires leur furent épargnées. Ils n'eurent même pas besoin de montrer leur passeport aux officiers d'immigration. Mais dès qu'ils arrivèrent dans l'aérogare, ce fut l'assaut.

Des dizaines de journalistes et de photographes les entourèrent. Les flashes crépitaient, aveuglants… Les questions fusaient dans toutes les langues.

Sans prêter la moindre attention aux reporters, Dio prit Eleanor par la taille et l'entraîna de l'avant.

— C'est qui, la fille ? cria un homme en anglais.

Brusquement confrontée à un univers dont elle ignorait tout, Eleanor tremblait comme une feuille. Comment les paparazzi osaient-ils harceler Dio Alexiakis de cette manière, un jour pareil ? C'était… honteux, méprisable !

Il venait assister aux funérailles de son père. On aurait pu avoir la décence de le laisser tranquille !

Etait-il agressé ainsi partout où il allait ?

Au cours des pauses des équipes de nettoyage, Eleanor avait souvent entendu ses collègues féminines évoquer Dio Alexiakis. Il les fascinait et elles en parlaient comme d'un dieu… Mais l'homme d'affaires n'était-il pas une sorte de vedette ? Chacun de ses mouvements faisait les gros titres d'une certaine presse. On le voyait dans les meilleurs restaurants ou à la sortie des boîtes en vogue au bras des femmes les plus belles, les plus célèbres, les plus riches, les plus talentueuses…

Eleanor écoutait ces ragots d'une oreille distraite. Tout cela ne l'intéressait guère ! Et puis elle savait bien qu'elle n'aurait jamais l'occasion d'approcher le P.-D.G. d'Alexiakis International. Si seulement elle avait pu deviner ce qui l'attendait !

Après avoir changé de terminal, ils se retrouvèrent dans une petite salle meublée très simplement.

Encore tremblante, Eleanor demanda :

— Les paparazzi… C'est toujours comme ça ?

Il haussa les épaules.

— Oui. Mais j'avais sous-évalué l'impact qu'allait avoir votre présence.

— J'espère qu'on ne me reconnaîtra pas sur les photos…

Son compagnon ne jugea pas utile de répondre. Et elle devina sans peine ce qu'il pensait…

« En quoi le fait d'avoir sa photo dans les journaux peut-il gêner une petite employée parfaitement anonyme ? »

— Qu'attendons-nous maintenant ? s'enquit-elle.

— L'hélicoptère qui nous emmènera dans l'île où doivent se dérouler les obsèques.

Encore un hélicoptère… Ce voyage était vraiment sans fin !

— Quelle île ?

— Chindos.

Puis, il ajouta avec stupeur :

— C'est incroyable ! Vous ne savez donc absolument rien de moi ?

— Ça ne peut pas vous faire de mal, ne put-elle s'empêcher de rétorquer. Pour une fois qu'on ne vous considère pas comme le centre de l'univers.

Elle mit sa main devant sa bouche.

— Pardon ! Je ne voulais pas dire ça… J'ai pensé tout haut.

— Une très mauvaise habitude qui peut vous amener bien des ennuis, répliqua-t-il avec l'ombre d'un sourire.

— Vous ne m'apprenez rien, hélas !

Dio l'enveloppa de son regard pénétrant.

— Vous êtes toujours comme ça ? Les griffes dehors, prête à attaquer ? Alors que vous avez l'air tellement féminine et délicate…

— Pas délicate, je vous en supplie !

— Mignonne ?

— Oh, non ! Les hommes n'arrivent jamais à me prendre au sérieux. Je suis trop petite et trop blonde…

Il laissa échapper un rire sarcastique.

— Jolie couleur… Cependant, si vous tenez vraiment à passer inaperçue, vous ne devriez pas vous décolorer ainsi.

Eleanor sursauta : ce n'était pas la première fois qu'on lui disait cela !

— Je ne me décolore pas les cheveux !

— A d'autres !

— C'est pourtant comme ça. Ma grand-mère était hollandaise et très, très blonde.

— Enlevez votre chapeau !

Après un instant d'hésitation, elle s'exécuta. Ses mèches souples se mirent à briller comme de l'argent tandis que, rejetant la tête en arrière, elle lui faisait face d'un air plein de défi.

— Voyez ! Rien de faux !

32

Il la fixa sans mot dire. Ses prunelles, par moments si sombres, avaient cette fois pris une teinte dorée — exactement comme elle l'avait deviné.

Le souffle court, elle l'examina entre ses cils baissés. Il était tellement grand, tellement brun, tellement séduisant dans ce costume croisé à la coupe parfaite !

Que lui arrivait-il ? Chaque fois qu'elle regardait Dio Alexiakis, les battements de son cœur s'accéléraient, le désir l'envahissait... C'était honteux. Irrationnel. Et humiliant, surtout ! Pourquoi ses sens refusaient-ils d'obéir à sa volonté ? Elle qui, justement, se targuait d'avoir une volonté de fer !

— Comment est-ce, le travail de femme de ménage ? demanda-t-il brusquement.

— Ne vous sentez pas obligé de me faire la conversation.

— Pas du tout. Ça m'intéresse.

— Si vous voulez savoir, c'est un travail ennuyeux, répétitif et mal payé. Vous vous attendiez peut-être que j'affirme adorer ce job ? Eh bien, vous en êtes pour vos frais.

— Alors pourquoi ne cherchez-vous pas autre chose ?

— Les horaires me conviennent.

— Et vous n'avez probablement pas la formation nécessaire pour prétendre à un autre emploi...

— J'ai des projets. De grands projets ! A mon petit niveau, je suis une femme ambitieuse, figurez-vous. Car je n'ai aucune intention de passer l'aspirateur dans des bureaux toute ma vie, monsieur Alexiakis ! conclut-elle avec une certaine ironie.

Il fronça les sourcils.

— Etant donné la situation dans laquelle vous vous trouvez actuellement, vous avez tort de lancer des insinuations de ce genre. Moi, je ne plaisante jamais au sujet du travail.

— Moi non plus.

— Vraiment ?

33

— J'aime travailler et j'ai besoin d'argent. Je vous préviens, ce petit voyage va vous coûter cher. Vous allez être obligé de payer mes heures double tarif…

— Vous n'êtes pas très diplomate. Toujours à batailler… Si vous vous étiez tenue tranquille, vous auriez eu bien plus.

— Je réclame mon dû, pas davantage. N'ayez pas peur, je ne vais pas vous exploiter…

Le premier instant de stupeur passé, Dio laissa échapper un rire bref.

— Vous êtes amusante. Et assez imprévisible !

— Pas du tout. J'aime bien mettre les choses au point. Quand, tout à l'heure, je disais que je n'avais pas l'intention de faire des ménages dans vos bureaux toute ma vie, vous vous êtes tout de suite imaginé que cela avait un quelconque rapport avec la stupide conversation que j'ai entendue…

— Evidemment !

— D'une part, je n'ai rien compris à ce que vous racontiez. Et d'autre part, je suis honnête. Jamais je ne chercherais à tirer un avantage quelconque de ce que le hasard m'a permis d'apprendre.

— L'expérience m'a appris que ceux qui prétendent être honnêtes sont les plus tricheurs de tous !

— Croyez ce que vous voulez ! Moi, j'ai ma conscience pour moi.

— Je prends toutes les précautions utiles. Normal, non ?

— Et le voilà qui essaie de se justifier, maintenant ! Ecoutez-moi bien : si vous n'étiez pas le P.-D.G. d'Alexiakis International, je ne serais pas ici ! Si Meg et moi n'avions pas besoin de garder nos places, je vous aurais envoyé promener avec le plus grand plaisir et…

— Cela, je veux bien le croire !

— Vous pensez que ce voyage représente une partie de plaisir pour moi ? Sans vouloir vous offenser, je vous avouerai que je n'ai jamais trouvé très drôle d'aller à un enterrement !

Une lueur amusée passa dans les yeux de Dio.

— Mon père aurait adoré votre insolence !

On frappa à la porte. Le moment était venu de repartir. Tout en suivant Dio sur le tarmac, vers l'hélicoptère dont les pales tournoyaient déjà, Eleanor ne parvenait pas à se pardonner son manque de tact. Dio avait mis cela sur le compte de l'insolence… Mais comme elle avait honte d'avoir parlé sans réfléchir ! Etant donné les circonstances, c'était vraiment de très mauvais goût !

Le léger appareil s'éleva dans les airs, au-dessus des eaux scintillantes de la mer Egée. Bercée par le ronronnement du moteur, Eleanor sentit ses paupières s'alourdir… et ne tarda pas à sombrer dans un profond sommeil.

Lorsqu'elle se réveilla, elle regarda autour d'elle en fronçant les sourcils et s'aperçut qu'elle se trouvait à l'arrière d'une énorme voiture à l'arrêt.

La portière s'ouvrit. Un jeune homme se pencha pour l'examiner d'un air moqueur.

— Alors c'est vous, la dernière conquête de Dio ? Je dois dire que mon cousin a du goût… Il a quand même bien fait de ne pas vous emmener à l'église. Certaines vieilles dames à l'esprit étroit n'auraient pas tellement apprécié…

Pendant qu'Eleanor tirait sur ses jambes la jupe droite qui était remontée sur ses longues cuisses pendant son sommeil, il vient s'asseoir à côté d'elle.

— Lukas Varios, dit-il pour se présenter.

— Quant à moi, désolée, mais je ne suis pas la dernière conquête de Dio.

— Dans ce cas, pourquoi l'attendez-vous à la porte du cimetière ? Qui êtes-vous ?

— Je… je travaille pour lui.

Il enroula alors une mèche platine autour de son doigt.

— La voie est libre, dans ce cas ?

Sans attendre la réponse, il poursuivit :

— Savez-vous que vous êtes très mignonne ? Quelle jolie petite poulette ! Dès que je vous ai aperçue…

La portière s'ouvrit de nouveau. Cette fois, ce fut Dio qui apparut. En une fraction de seconde, il comprit ce qui se passait.

Sans cérémonie, il saisit l'importun par les épaules et le jeta dehors tout en l'insultant en grec.

Couleur brique sous son bronzage, Lukas Varios brossa le col de sa veste. Il adressa un coup d'œil venimeux à Eleanor.

— Tu crois que tu m'aurais trouvé là si elle m'avait dit la vérité ? lança-t-il à Dio. Elle a prétendu qu'elle travaillait pour toi et qu'il n'y avait rien entre vous !

Dio monta à l'arrière de la limousine aux vitres teintées et claqua la portière. Puis, d'un air méprisant, il toisa Eleanor avant de lui asséner :

— Je ne vous ai pas amenée ici pour que vous vous conduisiez comme une allumeuse !

3.

D'abord la familiarité excessive de Lukas Varios, maintenant les insultes de Dio Alexiakis… Eleanor se sentit envahie par un brusque accès de colère.

Instinctivement, elle leva la main et gifla le magnat grec de toutes ses forces.

— Je vous interdis de me traiter d'allumeuse !

La marque de ses doigts restait imprimée sur la joue de Dio. Sidéré par sa réaction, il demeura sans voix. Eleanor savait qu'elle était allée trop loin. Mais elle était trop fâchée pour vouloir l'admettre.

— Quant à votre cousin, il en mériterait autant ! reprit-elle. Mais pour qui se prend-il, celui-là ? M'appeler sa petite poulette… De plus, il pensait que j'étais votre dernière conquête ! C'est écœurant !

— Ecœurant ?

— Complètement ! Mais dans quel milieu suis-je donc tombée ? On considère les femmes comme des objets, ici ? Des objets qui appartiennent à ces messieurs, bien sûr !

— Voilà une indignation fort suspecte…, commença Dio avant d'ajouter, avec un ricanement bref : je pense que je pourrais sans trop de peine vous persuader de m'appartenir.

Ses yeux émeraude étincelant dans son visage rosi, Eleanor lui fit face.

— Ah, bon ? Et comment, s'il vous plaît ? Avec une massue datant de l'âge de pierre ? Parce que pour arriver à vos fins, je vous préviens :

37

il faudrait que vous me traîniez par les cheveux jusqu'à votre caverne, espèce d'homme de Cro-Magnon !

Avant qu'elle ait pu se douter des intentions de son compagnon, il l'attira brusquement contre lui et écrasa ses lèvres contre les siennes. Elle aurait dû protester, se débattre, le repousser... Au lieu de cela, elle eut l'impression d'être un fétu de paille soulevé par une vague puissante qui emportait tout sur son passage.

Elle s'accrocha presque désespérément à Dio tandis que des sensations d'une violence inouïe la traversaient. Des sensations inconnues, venues du plus profond d'elle-même, dont elle ignorait jusqu'à présent l'existence.

Puis Dio la lâcha aussi soudainement qu'il l'avait enlacée. Une lueur de triomphe brillait dans ses prunelles.

— Je n'aurai pas besoin d'employer la force, Eleanor, déclara-t-il avec une visible satisfaction. Vous me suivrez dans ma caverne comme un petit chien.

Cet instant de folle passion avait déjà pris fin. Maintenant, un lourd silence pesait. Horriblement embarrassée, Eleanor baissa la tête.

— Je... j'ai eu tort de vous gifler, balbutia-t-elle. Mais vous m'aviez mise hors de moi...

— Sachez que les Grecs n'aiment pas être provoqués.

Il eut un sourire sarcastique.

— Si je vous ai embrassée, c'était parce que j'ai voulu vous donner une leçon. Et aussi, ma foi, parce que j'en avais envie... Mais nous ne répéterons pas l'expérience.

Elle crispa les poings, furieuse contre elle-même de son absence d'esprit de repartie. C'aurait été à elle de prononcer cette dernière phrase ! Il l'avait dite à sa place et, une nouvelle fois, elle se sentit humiliée. Car Dio Alexiakis ne perdait pas la tête... Il s'était empressé de réduire à néant les espoirs fous qui auraient pu venir à l'esprit de la petite employée subalterne à laquelle il avait fait l'honneur d'un baiser !

Cet homme se croyait vraiment irrésistible — et hélas, il l'était ! N'avait-il pas tout pour lui ? L'argent, le pouvoir... Sans compter un physique superbe. Une femme l'avait-elle jamais repoussé de sa vie ? Probablement pas…

Eleanor tint à se justifier.

— Je vous ai giflé parce que vous m'avez traitée de…

— La discussion est close, coupa-t-il. D'ailleurs, le moment était plutôt mal choisi. Je ne suis pas tout à fait moi-même aujourd'hui.

Eleanor se mordit la lèvre inférieure presque au sang. Elle-même n'était pas tout à fait dans son état normal ! Jamais elle n'aurait pu imaginer que ses sens allaient la trahir de cette façon. Ainsi, un homme avait le pouvoir d'éveiller une telle réaction de sa part ? C'était à la fois enivrant… et terrifiant.

Suivie par un long cortège de voitures noires, la limousine montait lentement une route étroite à flanc de colline. Eleanor aperçut tout en haut une immense villa blanche. Une villa ? Plutôt un palais…

— Votre maison ? interrogea-t-elle, déjà intimidée.

— La demeure des Alexiakis.

— Vous allez devoir recevoir vos amis et votre famille.

— Forcément.

— Ne vous inquiétez pas, je ne vous dérangerai pas. Je me cacherai dans un petit coin et…

— Pas du tout, vous allez rester avec moi.

— Mais que répondrai-je si l'on me pose des questions ? s'écria-t-elle, affolée. Je ne sais même pas comment s'appelait votre père !

— Spiros. Il avait soixante et onze ans et un seul fils.

— Vous ?

— Moi, évidemment. Il est mort subitement…

— Comme c'est triste ! Vous n'avez même pas pu lui faire vos adieux, lui dire combien vous l'aimiez…

— Je vous en prie, épargnez-moi les platitudes de ce genre ! Mon père et moi étions brouillés depuis quelques années.

— Il ne s'agissait pas de platitudes ! protesta-t-elle. J'étais sincère ! Pourquoi étiez-vous brouillés ? Etait-ce sa faute ou la vôtre ?

— La mienne.

Il contempla ses poings crispés.

— Il ne faut pas avoir de remords, déclara Eleanor. Vous ne pouviez pas deviner que…

— Oh, je vous en prie ! Arrêtez avec les banalités.

D'un ton las, il murmura :

— De toutes manières, ça ne vous regarde pas.

La longue limousine ne tarda pas à s'arrêter devant un imposant perron. Comprenant qu'elle n'avait rien d'autre à faire qu'à suivre Dio comme il en avait manifesté le désir, Eleanor gravit les marches derrière lui.

Ils arrivèrent dans un hall gigantesque. Colonnes en marbre, statues grandeur nature, immenses tableaux anciens… Eleanor avait l'impression d'évoluer dans un musée !

Une ravissante brune apparut à l'entrée d'un salon. Une brune d'une suprême élégance dont les bijoux devaient valoir une fortune !

— Helena…, murmura Dio.

Cette dernière vint l'embrasser sur la joue. Puis, ignorant délibérément Eleanor, elle se mit à lui parler en grec.

Tous les trois se dirigèrent vers un immense salon. Peu à peu, ceux qui avaient assisté à l'enterrement arrivaient.

En voyant Helena accueillir les visiteurs, Eleanor en conclut qu'elle faisait partie de la famille. Quant à elle, il lui était impossible de s'éloigner de Dio : il la tenait toujours fermement par le poignet et la présentait à tous ceux qui venaient le saluer et lui exprimer leurs condoléances. On la regardait avec une visible curiosité, mais — grâce au ciel ! — personne n'eut l'idée d'engager la conversation avec elle. Qu'aurait-elle bien pu répondre, en effet ? Elle se sentait tellement étrangère à ce monde, à ces gens…

Dès que les doigts de Dio se relâchèrent, elle voulut en profiter pour aller se réfugier un peu à l'écart. Devinant ses intentions, il l'attira de nouveau contre lui.

Un homme d'un certain âge se précipita vers le maître de maison et, avec une exubérance toute méditerranéenne, le serra théâtralement contre lui. Cette fois, Dio se trouva obligé de libérer Eleanor. Elle s'éloigna et se retrouva sur la terrasse qui semblait faire tout le tour de cette vaste demeure.

La vue était fantastique… Un ciel indigo, des forêts de pins à perte de vue et, en contrebas, la mer turquoise, toute scintillante de paillettes dorées. C'était beau. D'une beauté à couper le souffle.

Elle se sentit brusquement submergée de fatigue. Ce qui n'avait rien de surprenant après une nuit pareille ! Si elle avait dormi une demi-heure dans l'avion et une autre demi-heure dans la limousine, c'était bien tout…

Elle jeta un coup d'œil à l'intérieur de la maison et aperçut immédiatement Dio. Ce n'était pas difficile : il était si grand qu'il dominait toute cette foule en deuil. Curieusement, dès qu'il la vit accoudée à la balustrade, son visage se détendit.

Eleanor avait son chapeau à la main et, dans un rayon de soleil, ses cheveux blonds étincelaient comme un casque d'argent. Quand leurs regards se rencontrèrent, elle retint sa respiration, tandis que les battements de son cœur s'accéléraient follement. Soudain, les groupes de visiteurs parurent se confondre dans une masse indistincte. C'était un peu comme s'il n'y avait plus qu'eux au monde…

Dio la rejoignit en quelques enjambées.

— Restez à côté de moi, ordonna-t-il.

Lui qui semblait toujours si sûr de lui parut brusquement déconcerté.

— Pourquoi ai-je besoin de vous en ce moment ? interrogea-t-il à mi-voix, comme pour lui-même.

En dépit de son trouble, elle réussit à répondre d'un ton léger :

— Pour être sûr que je ne m'approche pas d'un téléphone ?

D'un pas nonchalant, Helena se dirigeait vers eux.

— Mlle Morgan a l'air épuisée, Dio. Il faudrait lui montrer sa chambre pour qu'elle se repose un peu.

— Volontiers…, murmura Eleanor.

Dio crispa les mâchoires avant d'appeler une domestique d'un geste impérieux. Un geste qui, pour lui, devait être des plus naturels… Eleanor, qui n'avait pas l'habitude de cela, se sentit gênée.

— On se verra plus tard, lui dit-il avant de retourner dans le salon.

Tout en suivant la femme de chambre en strict uniforme noir et blanc, Eleanor eut soudain l'étrange impression d'avoir abandonné Dio à son sort.

« C'est ridicule ! pensa-t-elle. Je ne le connais pas... Que m'arrive-t-il donc ? »

Elle mit cela sur le compte de la fatigue. Même si, au fond d'elle-même, elle savait qu'il y avait plus que cela...

Au lieu de l'emmener à l'étage, la domestique la conduisit dehors. Assez étonnée, Eleanor la suivit le long d'un sentier qui serpentait entre les aloès et les lauriers-roses. Elles ne tardèrent pas à arriver devant un long bungalow construit au bord d'une plage de sable doré.

La femme de chambre ouvrit la porte, s'effaça pour la laisser entrer, et après avoir incliné respectueusement la tête, repartit.

Eleanor se trouvait dans une pièce meublée de confortables canapés. Sur le sol de marbre étaient jetés quelques tapis aux couleurs fraîches. Elle visita les lieux. Le bungalow comportait deux chambres, dotées chacune d'une salle de bains. Il n'y avait pas de cuisine. Juste un réfrigérateur débordant de boissons de toutes sortes.

Ses paquets s'empilaient déjà sur l'un des lits. Les gens qui venaient ici, d'ordinaire, devaient avoir de superbes bagages assortis.

Etouffant un bâillement, elle ôta ses vêtements et, sans perdre une seconde, passa sous la douche. L'image de Dio s'imposa soudain à elle. Elle crut même entendre sa voix incrédule : « Pourquoi ai-je besoin de vous en ce moment ? »

Elle secoua la tête. Elle n'allait tout de même pas prendre Dio Alexiakis en pitié ! D'autant plus qu'elle s'était toujours méfiée des hommes trop séduisants, trop sûrs de leur charme... Ceux qui considéraient les femmes comme des trophées à ajouter à un tableau de chasse déjà bien garni.

Ces hommes-là, elle les connaissait mieux que quiconque, pour la bonne raison que son propre père en faisait partie.

Elle s'efforça de revenir à l'instant présent et de faire le point.

Soit, Dio avait réussi à éveiller une certaine réponse en elle. Après tout, cela n'avait rien de surprenant ! C'était un homme et elle... eh bien, elle était une femme. Une femme capable d'émotions, tout comme une autre.

Etait-ce cependant une raison pour se conduire comme une collégienne ?

— Cendrillon et le prince charmant…, se dit-elle à mi-voix.

Un sourire ironique lui vint aux lèvres. Il ne fallait pas trop rêver… Dans la vraie vie, les princes charmants tournaient le dos à Cendrillon pour partir avec une vraie princesse !

Sortie de la douche, elle revêtit un déshabillé bleu foncé qui avait presque l'air d'une robe du soir avec ses étroites bretelles torsadées. Quelques instants plus tard, la femme de chambre arrivait avec un plateau sur lequel se trouvaient d'appétissants petits *mezzés*.

Après avoir picoré, Eleanor se pelotonna sur un lit. Et quelques instants plus tard, elle sombrait dans un profond sommeil.

Ce fut la femme de chambre qui la réveilla plus tard, en lui apportant un autre plateau-repas.

Eleanor jeta un coup d'œil dehors et s'aperçut avec stupeur que le soleil était déjà très bas à l'horizon. Elle avait dormi pendant presque toute la journée ? Quel dommage d'avoir perdu l'occasion de passer des heures sur la plage !

Après avoir fait honneur à son dîner, elle jeta un coup d'œil aux nombreux disques qui s'empilaient à côté d'un équipement stéréophonique sophistiqué.

Elle découvrit avec plaisir plusieurs disques de flamenco. Sa mère avait insisté pour qu'elle prenne des cours de danse et le flamenco, qui avait toujours été l'une de ses passions, représentait également pour elle un étonnant mode de détente.

Seulement vêtue de son élégante nuisette, elle se mit à évoluer au rythme de cette musique flamboyante.

Lorsque les guitares se turent, elle rejeta la tête en arrière et s'immobilisa.

— Bravo !

Elle se retourna brusquement et vit Dio Alexiakis sur le seuil.

— Extraordinaire ! poursuivit-il. Tant de passion, tant de flamme…

Eleanor se sentit rougir jusqu'à la racine des cheveux.

— Vous auriez dû dire que vous étiez là !

— Je n'ai pas voulu vous interrompre. Quel homme aurait eu le cœur de briser un tel élan ?

Soudain incapable de prononcer un mot, d'esquisser un geste, Eleanor sentit le désir l'envahir. Un désir fou, incontrôlable…

Le regard de Dio se posa sur ses lèvres pleines, avant de s'abaisser sur la chemise de nuit qui révélait la plus sensuelle des silhouettes, moulant ses seins fièrement dressés, la courbe de ses hanches, ses longues jambes…

— Vous voir danser le flamenco…, reprit-il d'une voix rauque. Quelle expérience ! Une expérience d'un érotisme incroyable… Je n'ai jamais eu, à ce point, envie de posséder une femme ! C'était tellement fort, tellement intense…

Eleanor se souvint à ce moment-là qu'elle était en nuisette. Et une nuisette fort révélatrice !

Avisant un châle ancien sur un canapé, elle s'en enveloppa pudiquement. Le rire amusé de Dio retentit.

— Moitié femme, moitié enfant… Drôle de mélange !

— Vous… vous racontez n'importe quoi.

— Pas du tout. Et je tenais à vous dire que vous avez été pour moi le seul rayon de lumière dans cette journée sombre.

— Je suppose que c'est parce que je suis seulement de passage ici, murmura-t-elle, songeuse. Je n'attends rien de vous, je ne connais pas votre vie, je ne vous juge pas…

— Par exemple ! Vous n'arrêtez pas, au contraire, de proférer des jugements à l'emporte-pièce ! Des jugements très arbitraires, aussi.

Une étrange lassitude envahit Eleanor.

— Je n'ai pas envie de discuter maintenant. Je… je vais marcher un peu sur la plage, annonça-t-elle.

La nuit était tombée et la lune brillait dans un ciel de velours noir, se reflétant sur la mer en une coulée d'argent. Pieds nus, Eleanor arpentait le sable encore tiède.

Que lui arrivait-il donc ? Pourquoi perdait-elle la tête devant Dio Alexiakis ? Il lui suffisait de le regarder pour se sentir enivrée. Et elle devenait alors incapable de se dominer. Elle ne parvenait même plus à raisonner clairement ! Seuls ses sens comptaient, et ce désir fou qui la brûlait comme une flamme vive.

Elle voulait Dio Alexiakis. Elle le voulait de tout son être, de chacune des fibres de son corps. Et ce n'était pas tout ! Il y avait plus que les sens dans tout cela. Elle avait également envie d'être avec lui, de lui parler, de l'écouter…

Une fois arrivée au bout de la plage, elle revint sur ses pas. Dio était debout au bord du rivage, les mains dans les poches de son pantalon.

Elle le rejoignit et, poussée par une force inconnue, lança sans réfléchir :

— Je suppose que c'est la première fois qu'il vous arrive un malheur.

Il fronça les sourcils.

— Comment cela ?

— Avez-vous eu une enfance heureuse ?

— Oui.

— Etiez-vous proche de votre père avant de vous brouiller avec lui ?

— Bien sûr.

Ses réponses restaient brèves. De toute évidence, il ne souhaitait pas répondre à cet interrogatoire.

— Où voulez-vous en venir ? demanda-t-il d'un ton rogue.

— Au lieu de vous concentrer sur les mauvais moments, pourquoi ne pas seulement évoquer les bons souvenirs ?

Il lui adressa un coup d'œil stupéfait avant de lancer d'un ton agressif :

— Comment pouvez-vous deviner ce que je pense ?

— Je ne sais pas… C'est comme ça. Toutefois je peux vous assurer que vous avez eu bien de la chance d'avoir grandi entouré de l'affection des vôtres.

Il fronça les sourcils.

— Mais…

— Je vous envie. Mon enfance n'a pas été des plus drôles, entre une mère dépressive et un père qui a refusé catégoriquement de me reconnaître. Un jour, je l'ai croisé dans la rue, il m'a ignorée…

— Savait-il seulement qui vous étiez ?

— Oh, oui !

Avec amertume, Eleanor enchaîna :

— Quant à ma mère, elle continuait à vénérer aveuglément celui qui lui a fait — qui nous a fait — tant de mal.

— Ce n'est pas possible !

— C'est pourtant ainsi.

Elle baissa la tête.

— Je me suis querellée avec ma mère. Juste à la veille de sa mort. J'avais seize ans et toutes les certitudes que l'on peut avoir à cet âge-là. J'adorais ma mère, je voulais tant l'aider à sortir de cette dépression dans laquelle elle s'enfonçait…

D'une voix tremblante, elle poursuivit :

— J'ai essayé de la persuader qu'elle serait beaucoup plus heureuse si elle oubliait mon bon à rien de père…

Dio l'attira contre lui.

— Racontez-moi votre histoire. Votre mère…

— Elle était très belle et venait d'une famille fortunée. Ses parents l'idolâtraient et l'ont outrageusement gâtée. Quelques semaines après l'annonce de ses fiançailles avec… avec Tony, mon grand-père maternel a fait faillite.

Elle baissa la tête.

— Tony, qui était surtout intéressé, a immédiatement rompu avec ma mère. Trois mois plus tard, il a épousé la fille d'un riche industriel.

— Il a abandonné votre mère alors qu'elle était enceinte ? demanda Dio avec incrédulité.

— Non… C'est beaucoup plus compliqué que cela. Quelques semaines après son mariage, il est revenu et a dit à ma mère qu'il s'était trompé, qu'il l'aimait toujours. Elle a cru qu'il allait quitter sa femme et lui revenir… J'ai été conçue ce jour-là, mais Tony n'est plus jamais revenu — ni pour elle ni pour moi. Et voilà !

D'un geste, elle fit mine de balayer le passé.

— Je vous ai raconté ma vie. A votre tour.

Elle était toujours dans les bras de Dio… et elle s'y trouvait si bien !

— A votre tour ! insista-t-elle.

Il haussa les épaules.

— Mon père m'a dit qu'il était temps que je me marie. J'ai répondu que j'avais bien le temps… Il a alors déclaré : « Je ne veux pas te revoir tant que tu n'auras pas changé d'avis ! »

A l'instar d'Eleanor, il conclut :

— Et voilà !

— Votre père s'attendait que vous lui obéissiez ?

— Il avait même choisi depuis des années celle que je devais épouser !

— Quoi ? C'est complètement rétrograde !

— Mes parents eux-mêmes avaient été unis de cette manière, cela ne les a pas empêchés d'être très heureux. Ma mère était pratiquement destinée à mon père dès le berceau.

— A l'époque, soit ! Mais de nos jours, quand même…

— En Grèce, dans un certain milieu, on privilégie d'abord l'association entre deux familles, deux fortunes.

— En Angleterre, on se marie par amour.

— Ce qui vous vaut un pourcentage élevé de divorces. Les mariages de raison sont parfois plus solides que les mariages de passion.

Sur ces mots, il se pencha et lui prit les lèvres dans un baiser fougueux.

Les yeux clos, Eleanor y répondit avec un élan venu du plus profond d'elle-même. Elle se lova contre lui, s'accordant quelques secondes de passion… Quelques secondes merveilleuses au cours desquelles elle oublierait tout.

« Et après, je le repousserai », se promit-elle.

Oui, elle se dégagerait avant que les choses n'aillent trop loin.

— C'était inévitable, murmura Dio, ses lèvres contre les siennes.

Et alors, sans effort apparent, il la souleva et l'emmena vers le bungalow.

4.

D'un pas vif, Dio entra dans le bungalow. Leurs visages étaient si proches que, dans la lueur argentée du clair de lune, Eleanor pouvait distinguer chacun de ses cils sombres et jusqu'au grain de sa peau.

Avec une infinie tendresse, elle lui caressa la joue.

— Tu es si beau…

Les mots lui étaient venus tout naturellement.

Il la déposa sur le lit de l'une des chambres. Puis, se penchant au-dessus d'elle, il plongea son regard dans le sien.

— Et toi, tu es si belle ! Quand j'ai défait ton foulard et que j'ai découvert tes cheveux, j'ai cru rêver. Tu es parfaite ! Ta peau, tes yeux, ton corps…

La vie était devenue un rêve, et elle nageait en pleine euphorie.

— En apparence, tu as l'air dure. En réalité, tu es si douce…

Et il lui reprit les lèvres. Aussitôt, le cœur d'Eleanor se mit à battre à grands coups précipités. Résister ? Elle en aurait été incapable, même si sa vie en avait dépendu.

Avec Dio, elle pénétrait dans un monde nouveau, un monde inconnu. Un monde où tout était si fort, si intense, que rien d'autre ne comptait. En cet instant, plus rien n'avait d'importance, sinon eux deux et ce désir fou qui les poussait l'un vers l'autre.

— Si douce…, répéta Dio contre ses lèvres.

Il ôta sa chemise en fine toile blanche et l'attira de nouveau contre lui. Le souffle court, elle laissa ses doigts s'aventurer sur cette peau tiède sous laquelle jouaient des muscles puissants.

— Dio…, murmura-t-elle, les yeux clos, s'abandonnant déjà à ses caresses, à ses baisers.

Sans trop savoir comment, elle se retrouva bientôt complètement nue dans ses bras. Un peu de raison lui revint. Dio Alexiakis s'attendait qu'elle soit une partenaire expérimentée… ce qu'elle était loin d'être ! C'était instinctivement que, toute ses inhibitions oubliées, elle tentait des gestes si nouveaux pour elle. Des gestes que, la tête froide, elle n'aurait jamais crus possibles…

— Ça… ça va un peu trop vite pour moi, balbutia-t-elle.

Il lui prit la main.

— Tu veux que je parte ?

Comment pouvait-elle lui avouer qu'elle était vierge ? A cette époque, un tel aveu paraîtrait ridicule, complètement incongru.

— Décide-toi, reprit-il. Je ne suis pas de bois… Je ne vais pas pouvoir résister longtemps.

Elle s'abattit contre lui.

— Je te veux… Oh, je te veux si fort…

Les mains de Dio emprisonnèrent ses seins à la pointe fièrement dressée.

— Tu es faite pour l'amour… Tu es faite pour moi !

Il se dressa au-dessus d'elle, si magnifique dans sa virilité qu'elle crut que son cœur allait s'arrêter de battre. Soudain consciente de sa nudité, elle voulut se recouvrir du drap.

Il laissa échapper un petit rire.

— Tu es amusante… Serais-tu timide ?

— Un peu. C'est-à-dire que…

— Laisse-moi te regarder. Tu trembles… pourquoi ?

— Tu me fais un peu peur.

— Tu plaisantes ?

Il la fixa droit dans les yeux. Son visage était soudain devenu grave.

— Tu me veux ? Vraiment ?

— Oui, mais…

— Dans ce cas, pas de « mais », coupa-t-il.

Les caresses de Dio devinrent alors de plus en plus précises, ses baisers de plus en plus passionnés. Lorsqu'il la mena au paroxysme du désir, Eleanor gémit en s'arquant contre lui.

— Prends-moi ! fit-elle dans un cri rauque.

La douleur fut très brève. Mais Dio remarqua qu'elle s'était raidie. Il s'immobilisa.

— Ce n'est pas possible ! s'écria-t-il d'une voix étranglée. Tu n'es pas…

— Plus maintenant.

Sans en dire plus, elle noua ses bras autour de lui.

— Viens…

Avec une infinie douceur, il l'entraîna sur des rivages inconnus. Des rivages qui n'étaient que sensualité et passion ardente. Soudain, tandis que les mouvements de Dio s'accéléraient, elle poussa un cri rauque de plaisir. Alors, sans plus attendre, Dio la rejoignit dans l'extase.

Hors d'haleine, il se rejeta à côté d'elle, tout en gardant un bras possessif sur son ventre plat.

— Tu aurais dû me prévenir, déclara-t-il après avoir retrouvé son souffle.

— J'ai essayé… Et puis je me suis dit que ce n'était pas tellement important.

Elle se blottit tendrement contre lui. Elle aurait voulu ne plus jamais le quitter.

Que lui arrivait-il ? Etait-il possible qu'elle soit tombée amoureuse en seulement vingt-quatre heures ?

— Non, ce n'était pas important, répéta-t-elle.

— Ne dis pas cela.

Il passa brusquement à autre chose :

— As-tu faim ?

— Non, pas vraiment.

— Eh bien, moi, si ! Je n'ai pratiquement rien mangé de la journée...

Il décrocha le téléphone et donna quelques ordres brefs. Puis il l'entraîna sous la douche sans paraître remarquer sa gêne. Et pourtant, c'était bien la première fois de sa vie qu'elle prenait une douche avec quelqu'un d'autre !

Dio la dominait de toute sa taille.

— Tu es minuscule ! remarqua-t-il avec amusement.

— Un mètre cinquante-huit.

— A l'aéroport, dans ce long manteau, on aurait presque cru une petite fille.

Et comme Eleanor ne trouvait rien à répondre, il lança :

— Te voilà soudain bien silencieuse !

Elle baissa la tête en rougissant.

— D'abord, je suis toute nue. Ensuite, je n'ai pas l'habitude de discuter sous la douche.

Il éclata de rire avant de la soulever comme une poupée.

— Tu prends un contraceptif ?

Elle secoua négativement la tête en se demandant pourquoi il posait une telle question quand il avait lui-même pris des précautions.

— Oui, étant donné ta situation, j'aurais dû m'en douter, marmonna-t-il.

Et, il ajouta, avec une simplicité presque brutale :

— Le problème, c'est que le préservatif s'est rompu.

A ces mots, Eleanor pâlit, soudain effarée.

— Oh, non !

Elle qui avait su si bien mener sa barque jusqu'à présent, allait-elle se retrouver, tout comme sa mère, avec un bébé sur les bras ? Ce serait alors la fin de toutes ses ambitions !

— Ne t'inquiète pas ! lança Dio. S'il y avait des suites — ce qui, entre nous, m'étonnerait beaucoup —, on s'occupera de ça ensemble.

Et il lui effleura les lèvres d'un baiser aussi léger qu'un battement d'ailes de papillon. Déjà rassurée, elle oublia l'éventuel risque de grossesse. Les réalités de l'existence ne l'atteignaient plus vraiment. Dans ce

bungalow situé au bord de l'eau, elle vivait une parenthèse enchantée…
Combien de temps cela durerait-il ? Quand cela se terminerait-il ? Elle
préférait ne pas le savoir…

Un peu plus tard, ils pique-niquèrent sur la table installée dehors de
langoustes grillées et de salade grecque.

Eleanor n'avait jamais mangé de langouste de sa vie. Honteuse de
son ignorance, elle regarda comment Dio s'y prenait et l'imita. Ce petit
détail lui rappela qu'ils évoluaient dans des univers situés à des millions
d'années-lumière.

— Merci pour ce que tu m'as dit tout à l'heure sur la plage, déclara-
t-il soudain. Cela m'a permis de remettre les choses en perspective. Si
mon père et moi avions pu deviner que ses jours étaient comptés, nous
aurions immédiatement oublié nos dissensions.

Il soupira.

— L'ironie de l'histoire, c'est que nous étions déjà sur le chemin de
la réconciliation…

— Oh !

— Palco Technic, l'entreprise que j'ai l'intention d'acheter demain,
faisait autrefois partie de l'empire de Spiros. Il en a perdu le contrôle
il y a des années. Cette acquisition représentait en quelque sorte un
rameau d'olivier.

— Je comprends pourquoi c'est si important pour toi !

— Cela l'était surtout pour mon père…

Voyant le visage de son compagnon s'assombrir, Eleanor tenta de le
faire penser à autre chose.

— Pourquoi prétends-tu t'intéresser à une société alors que c'est une
autre que tu convoites ?

— Tout simplement parce que les actions de ladite société monteront
forcément si l'on sait qu'Alexiakis International a des vues dessus. En
ce moment, le cours de Danson Components atteint des sommets… En
revanche, comme personne ne s'imagine que je convoite Palco Technic,
les cours restent très bas.

— Plutôt tordu, comme raisonnement !

53

Comme elle ne supportait pas le désordre, elle empila leurs assiettes vides et rangea grosso modo la table. Puis elle alla faire un brin de toilette dans la salle de bains. Lorsqu'elle en sortit, elle vit que Dio s'était allongé sur un des lits et qu'il dormait déjà. Elle le contempla avec une infinie tendresse. Comme elle était heureuse que cet homme ait été son premier amant !

Elle savait bien qu'un jour ou l'autre, il lui aurait fallu franchir le pas. Mais, étant d'un naturel méfiant, elle ne prenait jamais de risques, et si Dio n'avait pas précipité les choses, rien ne se serait passé, c'était certain !

Pour une fois, elle était bien décidée à vivre sans peser longuement le pour et le contre. Et puis c'était si bon de se laisser porter par le courant !

Le lendemain matin, Dio dormait toujours…

Eleanor revêtit le short rose vif et la chemise assortie pour aller marcher le long des vagues qui s'abattaient inlassablement sur le sable.

Lorsqu'elle revint vers le bungalow, elle aperçut Dio sur la terrasse. Vêtu d'un pantalon en toile noire, d'un T-shirt de la même couleur et d'une veste en lin beige, il était vraiment superbe !

Le cœur battant la chamade, Eleanor hâta le pas. Comme elle avait hâte de le retrouver, de lui tendre ses lèvres, de fondre dans ses bras !

Pourquoi portait-il des lunettes de soleil alors qu'il se trouvait à l'ombre du store ? Cela le faisait paraître mystérieux, presque menaçant…

— Je viens de recevoir un coup de téléphone, dit-il d'une voix cinglante comme un coup de fouet.

Elle s'immobilisa, en proie à une angoisse inexplicable.

— Que se passe-t-il ?

— Dès que les marchés ont ouvert, le prix des actions de Palco Technic a monté en flèche.

Toujours de la même voix glaciale, il poursuivit :

— Tu prétendais ne pas avoir pu donner ce coup de fil de l'aéroport… Mais tu avais réussi ton coup ! Si tu es payée au pourcentage, je te félicite !

Le premier instant de stupeur passé, Eleanor réagit.

— Le seul appel que j'aie passé de l'aéroport, c'était sur ton portable et je me suis contentée de prévenir M. Barry ! S'il y a eu des fuites, je n'en suis pas responsable. D'ailleurs, je n'aurais même pas su à qui communiquer les informations que le hasard m'a permis d'entendre.

— Il y a un peu trop de coïncidences dans tout cela.

— Dio…

— Et où étais-tu passée ce matin ?

— Comme tu dormais, j'ai décidé de marcher un peu sur la plage.

— Dis plutôt que tu avais peur de ma réaction au moment où j'apprendrais que tes petites manigances me valent de perdre Palco Technic !

Il la toisa avec un mépris intense.

— Mais pour toi, seul l'argent compte, n'est-ce pas ?

— Je t'assure que je ne suis pour rien dans tout ça ! Je te le répète : je n'ai téléphoné qu'à M. Barry !

Après un silence, elle ajouta très bas :

— Mais quelqu'un d'autre a entendu ce que tu disais. Pendant que tu parlais, un homme…

— Et quoi encore ? Tu me prends pour un idiot ? Tu as fait capoter mes projets et après ça, tu t'es glissée dans mon lit pour essayer de me calmer.

Elle frissonna en entendant des accusations aussi cruelles.

— Salaud !

Il ricana.

— J'ai passé la nuit avec une fille vénale, une fille lamentable… Eh bien, voilà une expérience que je ne suis pas près de répéter !

Elle le fixa de ses yeux verts, étincelants comme des émeraudes.

— C'est moi qui ai passé la nuit avec un homme lamentable. Tu as peut-être un compte en banque énorme, mais tu n'as pas plus de classe que… qu'un gardien de chèvres analphabète !

Sur ces mots, elle entra dans le bungalow. Elle était dans un tel état qu'elle avait l'impression de perdre la raison.

Comme elle était pieds nus, sa première intention avait été de mettre des chaussures et de fuir… Mais fuir où ? Avait-elle oublié qu'elle se trouvait sur une île privée ? Et fuir comment, alors qu'elle n'avait pas un sou ?

La main de Dio s'abattit lourdement sur son épaule. Il l'obligea à lui faire face.

— Répète un peu ce que tu viens de dire !

Elle n'hésita pas.

— Tu n'as pas plus de classe qu'un gardien de chèvres analphabète. Mais, à la réflexion, je pense qu'un vrai gardien de chèvres vaut mieux que toi. Le pauvre ! Ce n'est pas sa faute s'il n'a pas pu recevoir une éducation correcte.

— Tandis que moi ?

— Toi, tu es peut-être immensément riche, mais au fond, tu n'es qu'un pauvre type ! Et maintenant, lâche-moi !

Fou de rage, il la saisit à bras-le-corps et la jeta sur le lit.

— Si tu étais un homme, je te tuerais pour m'avoir insulté de la sorte !

Elle se recroquevilla sur elle-même.

— Tu... tu me fais peur.

Il la fixa avec un intense dégoût.

— L'hélicoptère t'attend pour t'emmener à l'aéroport d'Athènes. Fais tes bagages et bon vent !

La menaçant du doigt, il ajouta :

— Ne remets jamais les pieds au siège social d'Alexiakis International !

Eleanor se leva. Elle était d'une pâleur de cire.

— Je croyais que je t'aimais... Et je m'aperçois que je te hais.

D'un geste méprisant, il lui jeta une poignée de billets aux pieds.

— Tu ne travailles que pour de l'argent, si j'ai bien compris ? Tiens, voilà pour ta nuit !

Elle se raidit en contemplant les billets de cinquante livres sterling.

— C'est... c'est pour mon billet ?

Dio fronça les sourcils.

— Que veux-tu dire ?

— Je suis bien obligée de penser à certains détails pratiques. Pour voyager, il faut de l'argent, et je n'ai aucune idée du prix d'un vol simple Athènes/Londres.

— On te remettra un billet à l'aéroport.

— Donc, une fois arrivée en Angleterre, j'aurai seulement besoin de payer un taxi pour rentrer chez moi, dit-elle en prenant un seul des billets qui jonchaient le sol.

Soudain, elle fronça les sourcils.

— Et Meg ?

— L'autre femme de ménage ?

De nouveau, il ricana.

— A ton avis ?

— Si tu la renvoies, elle aussi, tu le regretteras !

Elle le fixa droit dans les yeux.

— Je n'hésiterai pas, Dio. J'irai rendre visite à la rédaction de certains journaux… Tu sais, les journaux à scandale qui s'intéressent tellement à tes faits et gestes ! Je leur raconterai tout — moyennant finances, bien entendu !

— Bien entendu ! fit-il en écho, avec un rire sardonique.

Sans tenir compte de l'interruption, elle poursuivit, implacable :

— Et je donnerai tout cet argent à Meg, afin de compenser la perte de son emploi.

Le voyage lui parut interminable. Jamais elle ne s'était sentie aussi seule de sa vie, d'abord dans cet hélicoptère en compagnie d'un pilote atteint de mutisme, et ensuite à bord d'un vol régulier d'Olympic Airways ! On lui avait remis un billet de première classe. Et pendant qu'elle attendait l'embarquement pour Londres, elle avait eu tout le temps de réfléchir.

Comment avait-elle pu perdre ainsi la tête ? Et en si peu de temps ? Très organisée, jamais elle n'agissait sans réfléchir au préalable. Or, brusquement, toutes ses défenses, tout son sens pratique s'étaient évanouis. Oubliant ses inhibitions, elle s'était jetée dans les bras de Dio Alexiakis.

Elle tenta de se raisonner. Elle souffrait, elle se sentait terriblement humiliée… Soit ! Mais en fin de compte, il lui fallait bien reconnaître qu'elle n'avait eu que ce qu'elle méritait !

« Cela m'apprendra ! » se dit-elle amèrement.

5.

Pour la deuxième fois de la journée, Eleanor modifia la disposition de la vitrine.

— Une petite tasse de thé ? lui proposa M. Barry.

Il ne cessait de la regarder avec inquiétude. Mais ce Britannique à l'éducation parfaite ne se serait jamais permis de poser la moindre question personnelle.

— Volontiers, répondit-elle avec un sourire forcé.

Elle but son thé à petites gorgées, tout en regardant la pluie tomber sans discontinuer. Cela faisait deux jours qu'elle était rentrée à Londres ; pourtant ses pensées étaient restées sur l'île de Chindos.

Comment avait-elle pu être aussi stupide ? Aussi naïve ?

Elle avait joué avec le feu et s'était brûlée. Mais comment avait-elle pu accepter de passer la nuit avec un homme qu'elle connaissait depuis quelques heures à peine ? Cela lui ressemblait si peu…

Elle n'avait aucune excuse. Car elle aurait pu tout arrêter, même à la dernière minute. Dio ne lui avait-il pas donné le choix ? Hélas, n'écoutant que ses sens, elle s'était jetée tête baissée dans l'aventure !

Et puis il y avait eu ce petit incident avec le préservatif. Dio l'avait mentionné en passant, sans paraître y attacher beaucoup d'importance.

Mais si cet incident avait des conséquences, Eleanor serait désormais seule à y faire face.

De nouveau, l'anxiété l'envahit. Que deviendrait-elle s'il s'avérait qu'elle était enceinte ?

Comme les clients étaient plutôt rares, M. Barry décida de rentrer chez lui encore plus tôt que d'habitude.

En fin d'après-midi, Eleanor s'apprêtait à fermer quand un livreur apparut, porteur d'un énorme bouquet de roses blanches.

— Mademoiselle Eleanor Morgan ?

Elle n'avait jamais reçu de fleurs de sa vie ; aussi ouvrit-elle de grands yeux.

— Vous avez dû faire une erreur de nom et d'adresse...

— Pas du tout. Voyez...

Un seul homme au monde était capable de lui envoyer un cadeau aussi fabuleux...

Après le départ du livreur, elle décacheta la petite enveloppe jointe à l'envoi et lut ces quelques mots non signés : *De la part du gardien de chèvres.*

Soudain écarlate, elle déchira la carte en morceaux.

Le message était clair : ces trois douzaines de roses ne représentaient pas autre chose que des excuses. Dio avait-il découvert qu'elle n'était pas à l'origine de la fuite ? Possible...

Jamais, cependant, elle ne lui pardonnerait de l'avoir traitée comme la dernière des dernières. Le sentiment d'humiliation persistait... et ne s'effacerait probablement pas.

Quand le téléphone sonna, elle décrocha sans méfiance.

— Allô ?

A la fois chaude et rauque, la voix de Dio résonna à l'autre bout du fil :

— Pourrais-je parler à Eleanor, s'il vous plaît ?

Le premier instant de stupeur passé, elle demanda d'une voix dure :

— Que me veux-tu ?

— J'arriverai à Londres vers 21 heures. Je voudrais te voir.

— Sûrement pas !

— Eleanor...

La manière dont il avait prononcé son prénom la fit trembler. Soudain, ses jambes ne la portaient plus...

60

Elle réussit à se dominer.

— Meg a-t-elle été renvoyée ?

— Non.

Elle laissa échapper un soupir de soulagement.

— Bon, par conséquent je peux moi aussi reprendre mon travail ?

— Nous discuterons plus tard de ce sujet.

— Nous n'aurons jamais l'occasion de nous revoir, Dio. Alors, m'autorises-tu oui ou non à reprendre mon poste ?

— Si tu veux, je pourrais te trouver un autre job…

— Pourquoi ? Tu as peur que je raconte à toutes mes collègues ce qui s'est passé à Chindos ? Tu plaisantes…

— Nous parlerons de tout ça ce soir.

— Je t'ai dit que je ne voulais plus te voir. N'insiste pas ! Et si tu m'interdis de retourner travailler, je porterai plainte pour licenciement abusif. Je connais mes droits, figure-toi !

Avec exaspération, il lança :

— Très bien ! Si tu tiens absolument à recommencer à passer l'aspirateur au huitième étage la semaine prochaine, libre à toi !

— Je recommencerai dès ce soir. Sur ce, tâche d'oublier que nous nous sommes rencontrés… Pour moi, c'est déjà fait.

Là-dessus, elle raccrocha, furieuse.

Ah, pourquoi fallait-il que les gens riches fassent preuve d'une telle arrogance ?

Quand Eleanor pénétra dans le grand hall de l'immeuble de bureaux, son premier regard — bien malgré elle ! — fut pour l'immense photo de Dio Alexiakis.

La responsable de l'équipe, une petite femme mince au visage revêche, fronça les sourcils en la voyant signer le registre du jour.

— Depuis lundi, on ne vous a pas vue. Vous n'avez même pas pris la peine de téléphoner.

— Je suis désolée…

— C'était quand même la moindre des choses ! J'ai dû envoyer un rapport au service du personnel.

Sans mot dire, Eleanor prit son chariot et monta au huitième étage. A son grand soulagement, Ricky Bolton n'était pas dans son bureau, ce soir-là…

Elle retrouva les autres employées au moment de la pause. Tout en sirotant son gobelet de café, Meg Bucknall la rejoignit.

— Où étais-tu passée lundi ? Je me suis beaucoup inquiétée. J'avais peur que tu n'aies eu des ennuis avec ce type…

— Lequel ?

— Mais… celui qui essayait de te draguer, évidemment ! Tu sais, le grand blond du huitième ! Bolton, je crois ? Lundi, dès que je suis arrivée à son étage, il a absolument voulu savoir où tu étais. Il a bien fallu que je le lui dise… Il est monté t'ennuyer là-haut ?

Eleanor secoua la tête.

— Je ne l'ai pas vu…

Elle se mordit la lèvre inférieure presque au sang. Serait-ce par hasard Ricky Bolton qui avait entendu Dio dévoiler ses plans ?

Un peu plus loin, deux employées discutaient.

— Je parie que c'est une secrétaire…

— Une secrétaire, avec un chapeau pareil ? D'ailleurs, pourquoi aurait-il emmené une secrétaire à l'enterrement de son père ?

Eleanor s'éclaircit la voix.

— De qui parlent-elles ? demanda-t-elle à Meg.

— De la blonde mystérieuse avec laquelle M. Alexiakis est arrivé à Athènes.

Meg pouffa.

— Une secrétaire ? Habillée comme elle l'était, ça m'étonnerait…

— Il y a des secrétaires qui gagnent très bien leur vie et qui peuvent se permettre d'être élégantes, prétendit Eleanor.

L'une de ses collègues pouffa.

— Tu sais, cette blonde-là te ressemblait vaguement ! En plus, tu avais disparu pendant deux jours… Allons, avoue que c'était toi !

62

Surprise par cette attaque inattendue, Eleanor ne trouva sur l'instant rien à répondre.

Une autre s'esclaffa.

— Pas possible ! Dio aurait emmené Eleanor en week-end en Grèce ?

A cette remarque, tout le monde éclata de rire.

— Ce que vous pouvez dire comme bêtises, marmonna-t-elle.

Elle se sentait très mal à l'aise, même en sachant que ses collègues étaient loin de parler sérieusement.

Elle alla jeter son gobelet dans la poubelle.

— Je remonte, dit-elle à Meg au passage. Je suis en retard, ce soir…

Comme d'habitude, Eleanor prit le bus pour rentrer chez elle une fois son travail fini.

Lorsqu'elle vit une longue limousine argentée garée devant la librairie, elle ne fut pas autrement étonnée. Dio Alexiakis en sortit et, sans hâte, se dirigea vers elle.

Il lui parut plus séduisant que jamais. Costume anthracite, chemise discrètement rayée, cravate de soie… L'incarnation même du puissant homme d'affaires international. Comment avait-elle jamais pu imaginer qu'elle pourrait avoir une relation quelconque avec quelqu'un comme lui ?

— Tu exagères ! s'exclama-t-elle en prenant ses clés au fond de son sac. Je t'avais dit que je ne voulais plus te voir.

— Je t'ai blessée et je le regrette.

Eleanor était loin de s'attendre à des excuses ; pourtant, cela ne suffisait pas à lui faire oublier son attitude envers elle.

— Je t'ai dit que je ne voulais plus te voir, répéta-t-elle.

— Mais moi, j'ai à te parler.

D'autorité, il entra dans le magasin et gravit l'étroit escalier qui conduisait au minuscule studio que M. Barry avait mis à la disposition de son employée.

Eleanor l'avait peint elle-même en jaune citron, avant de décorer les murs d'affiches très colorées. Elle avait toujours été assez fière de son petit chez elle. Mais elle devait maintenant admettre que, à côté du bungalow de la plage de Chindos — pour ne pas parler de la luxueuse villa des Alexiakis —, ce logement exigu paraissait bien simple, bien ordinaire !

Dio l'observait sans mot dire. Les bras croisés, elle réussit à soutenir son regard intense d'un air plein de défi. Cependant, elle n'était pas spécialement fière de sa tenue : un vieil imperméable, un vieux jean, un vieux pull… pas du tout le genre que devait apprécier Dio.

— Viens avec moi, ordonna-t-il.

— Non.

Il sembla faire un effort pour déclarer :

— Tu as raison. Il faut d'abord mettre les choses au point.

Leurs regards se rencontrèrent, s'accrochèrent, et alors Eleanor sentit ses jambes se dérober. Cet homme qu'elle méprisait de toutes ses forces avait donc toujours autant de pouvoir sur ses sens ?

— Quand j'ai appris que les actions de Palco Technic montaient en flèche, j'ai été persuadé que tout cela était ton œuvre, que tu avais réussi à téléphoner de l'aéroport…

Elle haussa les épaules.

— Je t'ai dit que ce n'était pas le cas. Tu n'as pas voulu me croire, donc : inutile de discuter !

— Ce matin, j'ai appris que tu avais dit la vérité. Il y avait bien quelqu'un d'autre au dernier étage ce soir-là. Son arrivée et son départ ont été enregistrés par la caméra du couloir. A cause du décès soudain de mon père, je n'étais pas dans mon état normal. Si je l'avais été, je me serais souvenu de l'existence de cette caméra et j'aurais ordonné qu'on vérifie tes dires.

Eleanor demeurait silencieuse.

— J'ai un caractère assez entier, reconnut-il. Cependant, d'ordinaire, j'évite de me fier aux apparences pour en tirer des conclusions trop hâtives…

Elle haussa les épaules.

— Tu es excusable. Tu ne m'avais jamais vue et tu m'as prise pour une espionne… ce que j'aurais très bien pu être.

— On avait passé assez de temps ensemble pour que je te sache incapable d'agir ainsi. Je regrette beaucoup la manière dont je t'ai accusée.

— Une manière assez brutale, on peut le dire !

D'un ton volontairement léger, elle enchaîna :

— Bah, tu étais en colère…

— Ne me trouve pas d'excuses, je n'en ai pas. Je t'ai injustement humiliée et je ne me le pardonnerai jamais. L'employé qui a renseigné l'un de mes concurrents était un chef comptable. Un certain…

— Ricky Bolton ?

Il sursauta.

— Comment le sais-tu ? Je croyais que tu l'avais seulement aperçu de loin !

— Non. Mais pendant la pause, tout à l'heure, Meg m'a dit qu'il lui avait demandé où j'étais, l'autre soir.

— Pourquoi aurait-il demandé après toi ?

Elle soupira.

— C'est lui qui essaie toujours de me draguer au huitième étage.

Dio crispa les poings.

— Le salaud ! Je l'aurais volontiers mis à la porte, mais il est parti de lui-même. Il a échangé les informations obtenues contre un poste de plus haut niveau chez mon concurrent, justement. Il n'y restera pas longtemps !

— Pourquoi ?

— Parce qu'on ne peut pas lui faire confiance. Au premier prétexte, je parie qu'il sera renvoyé.

— Alors, tu n'as pas pu acheter Palco Technic comme tu l'espérais…

— Non, évidemment.

— Pourtant, tu n'as pas l'air tellement en colère.

Il esquissa un sourire sarcastique.

— C'est reculer pour mieux sauter. Dans moins d'un an, Palco Technic rentrera dans le giron d'Alexiakis International. Et pour trois fois rien !

— Comment peux-tu être aussi sûr de toi ?

— Je connais les marchés…

Il s'approcha tout près d'elle.

— Je ne te ferai plus jamais de mal. Je te le promets !

Elle réussit à soutenir son regard.

— Ecoute, Dio, tu voulais t'entretenir avec moi ? Voilà qui est fait… Maintenant, tu peux partir.

Il parut stupéfait.

— Pourquoi ?

Incroyable ! Il était persuadé qu'elle allait immédiatement lui pardonner et lui tomber dans les bras !

A Chindos, Eleanor avait perdu la tête. Mais elle avait désormais retrouvé toute sa raison.

— Ce qui s'est passé sur l'île représente un… une parenthèse — pour ne pas dire une erreur — qui ne se répétera jamais. Nous n'avons rien en commun et nous n'avons plus rien à nous dire.

— Je ne te laisserai pas partir. Je veux que tu restes avec moi.

— Pour qui te prends-tu pour oser me parler ainsi ?

— Pour ton amant.

Elle pâlit.

— Tu m'en veux toujours, Eleanor, reprit-il. Tu es en colère… et je le comprends.

— Que je sois en colère ou pas, c'est sans importance. Tout ce qui s'est passé dans l'île était un rêve. Maintenant que nous sommes de retour dans la vraie vie, dans la réalité de tous les jours…

Il l'interrompit :

— Même sur l'île, moi j'étais toujours dans la vraie vie !

— Pas moi. Le clair de lune, la plage, la mer, un séduisant étranger…

Elle secoua la tête.

— Oui, tout cela n'était qu'un rêve. Pendant quelques heures, nous avons oublié qui nous étions et tout ce qui nous séparait.

— Ce qui nous unit est bien plus important que ce qui nous sépare !

— Ecoute, je suis juste une employée et toi un homme d'affaires richissime ! Il ne peut rien y avoir de commun entre nous. D'ailleurs, j'aurais pu passer l'aspirateur au dernier étage pendant des années, je parie que tu n'aurais pas remarqué une seule fois mon existence !

— Si, je t'aurais remarquée !

— Non ! s'écria-t-elle avec véhémence. Et sais-tu pourquoi ? Parce que quelqu'un comme toi ne regarde jamais quelqu'un comme moi.

— Mais maintenant que je t'ai regardée, je ne peux plus m'arrêter.

— Je ne suis qu'une simple employée, insista-t-elle.

— On peut changer aisément ton statut.

— Comment ça ?

— Tu veux que le rêve continue ? Eh bien, le rêve continuera.

Il l'enlaça.

— Tu es adorable, Eleanor…

Elle se croyait de taille à lui résister, mais quand il la tenait ainsi, elle perdait tous ses moyens.

— Tu n'as aucun besoin de travailler, chérie. Je t'achèterai un appartement…

— Un appartement ?

Ses lèvres tout près des siennes, Dio murmura :

— Je veux m'occuper de toi, je veux te gâter…

— Tu veux que… que je devienne ta maîtresse ?

Devait-elle rire, s'emporter ou pleurer ?

— Ton jouet ? insista-t-elle.

Il la regarda d'un air plein de reproche.

— Comme s'il s'agissait de cela !

— Demanderais-tu à une femme de ton monde de devenir ta maîtresse ? ne put-elle s'empêcher de demander.

Dio se redressa d'un air arrogant.

— Tu es la seule à qui j'aie jamais fait une telle proposition !

— Désolée.

Et ce fut sans l'ombre d'un regret qu'elle ajouta :

— Ça ne m'intéresse pas.

Dio entremêla ses doigts dans sa chevelure d'or pâle, la maintenant prisonnière dans un geste caressant.

— Tu refuses encore de le reconnaître, mais tu n'es plus vraiment maîtresse de toi-même. Tu me désires… Oui, tu me désires autant que je te désire.

Elle réussit à rire.

— Moi ? Te désirer ? Autant qu'un glaçon, oui !

— C'est ce qu'on va voir.

— Dio ! Non…

Il la réduisit au silence d'un baiser. Et quand elle sentit ses lèvres contre les siennes, son corps tout en muscles, contre le sien tout en douceur, elle fondit littéralement.

Dio releva la tête et la contempla avec passion.

— Pourquoi ne pourrais-je pas t'aider matériellement ? Cela t'arrangerait… et cela m'arrangerait aussi. Je t'emmènerai dans mes voyages. Tu seras là…

— A ton entière disposition ?

Avec amertume, elle murmura :

— Ah, je vois le tableau !

Et, avec fermeté, elle se dégagea.

— Désolée, mais tu perds ton temps.

— Eleanor, tu m'appartiens !

— Sûrement pas. Et je n'ai aucune envie de devenir une… une femme entretenue !

— Tu parles comme si nous étions au XIXᵉ siècle !

— Je n'ai aucune envie de tout devoir à… à un amant en échange de… de mes faveurs.

— Et nous restons au XIXᵉ siècle !

— De toute façon, il n'y a pas de place pour un homme dans ma vie. Je travaille trop pour cela.

— Le jour, le soir… C'est vrai, tu travailles trop.

— Je devrais être furieuse que tu me fasses une telle proposition. Si je ne le suis pas, c'est parce que j'ai eu le temps de mesurer le fossé qui nous sépare. Tu es un terrible macho grec…

Il se raidit.

— Attention, si tu m'insultes, c'est moi qui vais me mettre en colère.

— Tu as tellement l'habitude de voir toutes les femmes se jeter à tes pieds que tu ne peux pas accepter que l'on te dise « non ».

Il la fixa d'un regard dur.

— Si je pars maintenant, ce sera fini. Et pour toujours !

En dépit de tout ce qu'elle venait de dire, en dépit de sa profonde conviction d'avoir raison d'agir comme elle le faisait, Eleanor se sentit glacée.

Ce sera fini. Et pour toujours. Les mots de Dio semblèrent résonner sans fin dans la pièce.

Sans un mot, il sortit. Elle l'entendit descendre l'escalier en colimaçon, entendit la porte de la librairie claquer avec violence.

Voilà. Oui, c'était fini ! Et pour toujours…

Elle baissa la tête. Mais les larmes refusèrent de venir. En dépit de son désespoir, elle était fière d'elle. Car elle avait su faire preuve de caractère — au contraire de sa mère qui, pendant près de seize ans, était restée la maîtresse d'un homme marié, menant une existence en marge, une existence faite d'une foule de mensonges, de comédies, de faux-semblants…

Eleanor, qui avait terriblement souffert de cette situation, croisa les bras avec détermination. Pas question de répéter les erreurs de sa mère !

Avec Dio Alexiakis, elle avait vécu un rêve merveilleux qui venait de s'achever. Elle était revenue sur terre fort brutalement. Et pourtant, elle aurait dû se douter que cela ne pouvait que se terminer ainsi.

Oui, elle avait agi comme il fallait. Mais cela lui faisait mal. Si mal…

6.

Quelques jours plus tard, Eleanor annonça fièrement à M. Barry qu'elle venait de prendre un rendez-vous à sa banque.

— Pourquoi donc ?

Elle sourit. Le vieux libraire commençait à oublier de plus en plus de choses.

— Pour que je puisse obtenir un prêt afin d'acheter votre fonds de commerce !

— A… acheter mon fonds de commerce ? répéta-t-il.

Soudain, il parut consterné. Stupéfaite par sa réaction, Eleanor murmura sans beaucoup de conviction :

— Je peux toujours annuler ce rendez-vous.

— Oui, oui… Cela vaut mieux pour le moment, commenta-t-il, visiblement soulagé.

Ça alors ! Elle croyait qu'il avait hâte de prendre sa retraite… Peut-être n'était-il pas aussi pressé qu'il l'avait toujours prétendu ?

Pourtant, M. Barry lui avait laissé entendre qu'il souhaitait partir à la fin de l'année. Et que si elle pouvait lui faire une offre intéressante, la librairie lui reviendrait.

Inutile de faire un drame à propos de rien ! Cela ne la dérangeait pas d'attendre un peu plus. Malgré tout, elle était déçue. Elle épargnait depuis tant d'années en vue de ce grand projet et voilà que, le moment venu, M. Barry semblait réticent !

Deux semaines s'écoulèrent. M. Barry paraissait de plus en plus mal à l'aise. Pour ne pas dire bizarre…

Cependant, Eleanor ne songeait plus à prêter attention aux états d'âme de son patron. Elle avait bien d'autres tracas en tête, et autrement plus graves.

Elle tenta de se rassurer. Le stress et les nuits sans sommeil avaient dû la perturber. Et puis, une semaine de retard dans son cycle, ce n'était pas la fin du monde… Mais la possibilité d'une grossesse était à prendre en compte. Une possibilité qui, au fur et à mesure que les jours passaient, se transformait peu à peu en certitude.

Ce soir-là, en pénétrant dans le hall de l'immeuble des bureaux Alexiakis International, Eleanor aperçut Dio. Et cela, pour la première fois en trois semaines.

Il semblait dominer de sa taille et de sa présence ce hall pourtant immense. Ses cheveux noirs brillaient sous les lumières. Son profil paraissait plus impérieux, plus arrogant que jamais tandis que, suivi par trois hommes, il se dirigeait à grandes enjambées vers l'ascenseur dont l'accès était commandé par un code.

Le choc fut tel qu'Eleanor se figea tout à coup. Tout se mit à tourner autour d'elle, ses jambes tremblaient, elle avait soudain peine à respirer.

— Comment vas-tu, Eleanor ?

Son trouble était tel qu'elle ne s'était pas aperçue que Dio avait modifié sa trajectoire pour venir lui parler. Le cœur battant à tout rompre, elle réussit à lui faire face.

— On ne peut pas dire que tu aies bonne mine, reprit-il.

Les trois hommes qui l'accompagnaient attendaient respectueusement près de l'ascenseur, se contentant d'observer la scène de loin.

Eleanor recouvra enfin sa voix.

— Laisse-moi ! Tu n'es pas censé me connaître !

— Je m'arrête pour te saluer, et tu te froisses. Le plus fort, c'est que si je t'avais ignorée, tu te serais froissée aussi… Ce que les femmes peuvent être illogiques !

— Et ce que les hommes peuvent être entêtés !

Sur ce, elle se dirigea vers l'ascenseur de service. Non sans avoir remarqué, un peu plus loin, deux autres femmes de ménage en grand conciliabule.

Lorsque, un peu plus tard, Eleanor descendit au moment de la pause, elle se sentit horriblement mal à l'aise. Si ses collègues s'étaient mises à la taquiner au sujet de ses hautes relations, elle ne se serait pas inquiétée. Pour la bonne raison que cela aurait simplement signifié que, pas une seconde, elles ne jugeaient possible que le grand P.-D.G. se soit intéressé à l'une d'entre elles.

Mais ce pesant silence qui régnait, ces regards dérobés… C'était bien mauvais signe.

Et à quelle autre réaction aurait-elle pu s'attendre ? Si Dio s'était contenté de lui adresser un bref signe de tête avant de prendre l'ascenseur, personne n'aurait haussé les sourcils. Mais il avait traversé tout le hall pour venir la trouver, il lui avait adressé la parole. N'avait-il donc pas conscience qu'en agissant ainsi, il l'exposait à la curiosité malsaine du personnel ?

Elle venait à peine de reprendre son service au huitième étage que Meg Bucknall la rejoignit.

— Autant te mettre en garde, commença cette dernière avec gravité.

Eleanor demeura silencieuse.

— Les filles ne sont pas idiotes, poursuivit Meg. Tout le monde sait que tu as changé d'étage avec moi un soir. Et qu'à la suite de ça, tu as disparu pendant plusieurs jours.

Elle fit mine de ne pas comprendre.

— Je n'aurais jamais pensé que les gens s'intéressaient à des détails aussi insignifiants.

— En temps normal, personne n'y aurait fait attention. Mais voilà, on a tout d'abord fait des commentaires au sujet de ta ressemblance avec la blonde que M. Alexiakis a emmenée en Grèce — rien de très sérieux, évidemment. Les filles se contentaient de plaisanter, et ça n'aurait jamais été plus loin si, ce soir, M. Alexiakis n'avait pas fait un grand détour pour te saluer. Evidemment, les ragots ont pris le relais.

Eleanor estimait trop Meg pour lui mentir. Elle se contenta de murmurer :

— Bah ! Une rumeur s'oublie, comme le reste.

Meg soupira.

— Pas sûr ! Il y a une semaine, M. Alexiakis est passé devant moi et m'a dit : « Bonsoir, madame Bucknall. » J'ai trouvé ça plutôt curieux. D'abord, c'était la première fois qu'il me saluait ; ensuite j'étais loin de penser qu'il connaissait mon nom.

Meg l'enveloppa d'un regard soucieux.

— Tu sais, je m'inquiète à ton sujet. Je…

— Oh, ça va ! assura Eleanor.

Et, avec un sourire forcé, elle ajouta :

— Oui, ça va. Ça va même très bien.

— Tu as l'air triste.

— Un peu…

Et, elle ajouta, avec un geste désabusé :

— Mais c'est ainsi qu'on apprend à vivre, non ?

Meg comprit à demi-mot et parut soudain très en colère.

— Si je pouvais dire à ce monsieur ce que je pense de ses procédés, je t'assure que je n'hésiterais pas et que…

— Je ne suis plus une enfant, Meg ! Je sais ce que je fais.

— Pas sûr. Permets-moi cependant de te rappeler qu'il y a un monde entre toi et lui.

Comme si Eleanor ne le savait pas !

Elle frissonna malgré elle, en pensant à son état, à sa grossesse éventuelle. Se pouvait-il qu'une folle nuit suffise à bouleverser le cours de sa vie ?

Elle avait grandi dans une petite ville auprès d'une mère célibataire. Certes, les temps avaient changé : on ne montrait plus du doigt celles que l'on appelait à l'époque les « filles mères ». Mais Eleanor savait, mieux que quiconque, combien il était difficile d'élever seule un enfant.

Elle se promit, dès le lendemain, d'acheter un test de grossesse. Il fallait qu'elle sache…

Au moment où elle sortait de l'un des bureaux du huitième étage, les portes d'un ascenseur coulissèrent. Elle jeta un coup d'œil machinal vers le palier, s'attendant à voir l'un des gardiens de sécurité faisant sa ronde. Mais ce fut Dio qui apparut. Plus beau, plus séduisant que jamais dans son costume gris foncé à la coupe parfaite.

Le cœur battant la chamade, les joues écarlates, Eleanor se figea sur place. Elle avait honte de sa réaction. Et en même temps, elle était furieuse de sa faiblesse. Mais comment aurait-elle pu se dominer ? Dio avait autant de pouvoir sur ses sens que sur son cœur. Un seul regard suffisait à la troubler. Et après cela, elle se sentait stupide. Et si triste…

Bien déterminée à faire son travail, elle lui tourna le dos et mit l'aspirateur en route. Le vrombissement s'arrêta presque immédiatement. Déconcertée, elle leva la tête et s'aperçut que Dio venait de débrancher la prise.

— Arrête de me fuir, Eleanor.

— Laisse-moi travailler. Laisse-moi tranquille.

— Tes yeux contredisent tes paroles.

Il lui saisit la main.

— Ton pouls bat à toute allure. Tu trembles…

— Oui, d'agacement !

Avec brusquerie, elle se libéra avant de déclarer avec fermeté :

— Ecoute, ma vie est toute tracée. Je sais parfaitement ce que je veux. J'ai de grands projets, des idées, des ambitions et, désolée, il n'y a pas de place pour toi dans tout cela.

— Quels sont ces grands projets ?

— Tu veux savoir ? Vraiment ?

— Bien sûr. Ça m'intéresse.

— J'ai l'intention d'acheter la librairie de M. Barry. C'est pour cela que je travaille tant. Ça fait longtemps que j'économise dans ce but et j'espère pouvoir obtenir un prêt bancaire sans difficulté.

— Je peux te prêter tout ce que tu veux.

Eleanor alla chercher une corbeille à papier dans le bureau le plus proche et la vida dans un grand sac poubelle.

— Je peux me débrouiller seule, marmonna-t-elle. Je me suis toujours débrouillée seule. Je n'ai pas besoin d'aide.

— Par moments, j'ai l'impression que tu mets une barrière entre nous.

— S'il y avait un vrai mur en briques, tu ne voudrais pas le voir, tellement tu es têtu et de mauvaise foi !

Il eut un rire amusé.

— Tu es drôle…

En guise de réponse, elle se contenta de hausser les épaules.

— J'ai eu tort de te demander de devenir ma maîtresse, reprit-il. J'ai voulu aller trop vite.

Elle laissa échapper un soupir exaspéré.

— Tu ne comprendras donc jamais que…

— Sais-tu que tu me manques ?

Il souriait en disant cela. Et ce sourire laissa Eleanor sans voix pendant quelques instants. Grâce au ciel, elle retrouva son esprit de repartie :

— Tu t'ennuies ? Tu n'as qu'à t'adresser à une agence spécialisée. Tu y trouveras ton rêve. Une brune, une rousse, une…

— Je veux une blonde aux cheveux couleur cendrée et aux yeux verts.

D'un geste agacé, il poussa du pied l'aspirateur.

— Laisse tomber ton travail. Je t'emmène au restaurant.

Elle retint sa respiration. L'invitation était tellement tentante… Depuis son retour de l'île de Chindos, Dio ne cessait de hanter ses pensées. De jour, de nuit — pendant toutes ces nuits sans sommeil —, elle rêvait de lui.

Certes, il y avait le désir physique. Mais, même si elle refusait encore de l'admettre, son cœur était pris.

Et maintenant, Dio était là. Si proche qu'elle n'aurait eu qu'à tendre la main pour le toucher.

Quand elle se baissa pour rebrancher l'aspirateur, elle eut soudain l'impression que tout tournait autour d'elle.

— Eleanor…

La voix de Dio lui parvint comme au travers d'un brouillard dense.

Et puis tout devint noir.

Lorsque Eleanor reprit conscience, elle ressentit d'abord une impression de nausée. Et comme elle était faible ! D'un air égaré, elle regarda autour d'elle et sa stupeur ne connut plus de bornes : elle se trouvait dans un ascenseur, dans les bras de Dio.

— Que… que se passe-t-il ? balbutia-t-elle.

— Tu t'es évanouie.

— Ce n'est pas possible ! Je ne m'évanouis jamais.

— Plus question de venir passer l'aspirateur au huitième étage, ma chère ! Tu veux te tuer à la tâche ? Tu es épuisée, tu as une mine à faire peur — ce qui, entre nous, n'a rien d'étonnant avec la vie que tu mènes ! Six jours par semaine, tu travailles dans une librairie, où tu assures près de dix heures quotidiennes de présence. Et ça ne te suffit pas : il faut, en plus de ça, que tu fasses du ménage pendant quatre heures tous les soirs !

— Comment sais-tu tout cela ? demanda-t-elle, éberluée.

— J'ai mené ma petite enquête, figure-toi ! Combien de temps penses-tu tenir dans ces conditions ?

— Je suis jeune et solide.

L'ascenseur arriva au rez-de-chaussée. L'un des gardiens en uniforme se précipita pour ouvrir la porte vitrée de l'immeuble. Les deux autres, le regard perdu dans le vide, faisaient mine de ne rien voir.

— Mon Dieu ! murmura Eleanor. Comment vais-je pouvoir revenir travailler ici après m'être donnée en spectacle de cette manière ?

— Bonne nuit, monsieur Alexiakis, dit le gardien en maintenant la porte ouverte.

Dio eut un petit rire sarcastique.

— Oh, ce sera une bonne nuit, certainement !

— Si je ne me sentais pas aussi mal, je t'étranglerais, marmonna Eleanor entre ses dents serrées.

Il s'esclaffa avant de la déposer à l'arrière de la limousine qui attendait en bas. Le chauffeur, lui aussi, avait les yeux perdus dans le vide.

— Il faut attendre deux minutes, déclara Dio. Le temps que Demitrios vide ton vestiaire.

Eleanor n'eut pas le courage de protester. Les yeux clos, elle s'adossa à la confortable banquette tapissée de cuir clair. Quelques instants plus tard, la voiture démarrait. Eleanor attendit de se sentir moins nauséeuse pour se risquer à soulever les paupières.

Assis dans un coin de la limousine, Dio l'observait d'un air triomphant.

— Ne me regarde pas comme ça, murmura-t-elle.

— Comment, « comme ça » ?

— Avec satisfaction. Un peu comme si tu venais de t'offrir une nouvelle voiture.

Il éclata de rire.

— Tu as toujours de ces réflexions…

— Tu m'emmènes dans ta caverne ? De force ? Je ne veux pas. Je ne veux rien avoir à faire avec toi.

— Ce que tu peux être naïve !

— Sur l'île, je l'étais. Plus maintenant. Un conseil… Si vraiment tu apprécies les filles naïves, tu devrais pouvoir en trouver à la pelle avec tout ton argent.

Il esquissa un sourire.

— Où trouverais-je une femme à l'esprit aussi acerbe ?

— C'est ce qui te plaît ? Eh bien, tu as un drôle de goût !

Dio se remit à rire.

— Tu m'enchantes parce que tu ne te laisses pas impressionner par moi. C'est rare, je t'assure !

Eleanor n'avait pas oublié la déférence dont l'entouraient les membres de sa famille. Ni les manières respectueuses, presque obséquieuses, du personnel de la villa de Chindos.

Tout le monde se tenait à distance respectueuse du P.-D.G. d'Alexiakis International. Tout le monde, sauf elle !

« Je suis trop orgueilleuse pour m'aplatir devant lui, songea-t-elle. Je l'ai traité comme un égal… Bien évidemment, il n'est pas habitué à cela : c'est l'attrait de la nouveauté qui lui plaît chez moi. »

L'angoisse la submergea de nouveau. Une angoisse devenue maintenant familière… A chaque jour qui passait, le risque de se retrouver enceinte se concrétisait un peu plus. Comment se débrouillerait-elle, alors ? La possibilité d'avoir un enfant n'entrait pas dans ses plans d'avenir si soigneusement mis au point. Bien au contraire : elle envisageait de travailler encore plus… Il le faudrait bien si elle voulait rembourser son emprunt et moderniser la librairie.

Elle s'exhorta au calme. A quoi bon s'inquiéter avant d'avoir des certitudes ? Demain, elle achèterait un test. Demain, elle saurait…

— Tu as l'air bien loin, soudain, remarqua Dio.

Il haussa les épaules.

— Evidemment, tu es épuisée ! Tu te tues à la tâche…

— Non… Mais je suis peut-être enceinte.

Les mots lui étaient venus tout naturellement aux lèvres. Elle n'avait pas réfléchi une seconde avant de les prononcer. Et pourtant, elle n'avait eu aucune intention de mettre Dio au courant.

Il se raidit, visiblement sous le choc.

— Pardon, murmura-t-elle. Je ne voulais pas t'en parler. Mais je suis dans un tel état que je ne fais plus attention à ce que je dis.

Juste à ce moment-là, la limousine s'arrêta devant un luxueux immeuble des beaux quartiers. Eleanor fronça les sourcils.

— Tu avais dit que tu me ramenais chez moi.

— Tu seras mieux ici.

Il la conduisit au dernier étage, dans un immense appartement décoré d'une manière ultramoderne, dont les baies vitrées donnaient sur un véritable jardin suspendu.

Le regard médusé d'Eleanor s'arrêta sur un tableau de Picasso. Elle en avait vu une fois la reproduction dans un livre d'art… Mais il s'agissait là de l'original, évidemment.

Dio lui tendit le sac en plastique dans lequel Demitrios avait mis ses vêtements de ville.

— Tu veux te changer ?

— Oui…

Il la conduisit dans une vaste chambre que jouxtait une salle de bains puis s'éclipsa discrètement.

Eleanor s'empressa d'ôter sa blouse d'uniforme et ses baskets. Elle les troqua contre une courte jupe noire, un pull assorti dont les manches courtes étaient ornées de deux fines rayures, l'une verte, l'autre rouge, et de hautes bottes impeccablement cirées.

Elle mit ses vêtements de travail à la poubelle. Après la manière dont elle avait quitté l'immeuble, jamais elle ne trouverait le courage de retourner travailler chez Alexiakis International ! Elle ne se sentait pas la force de faire face aux regards curieux des autres employés…

Bah ! Les jobs de nuit ne manquaient pas !

Elle remit un peu d'ordre dans sa chevelure avant de se laver les mains. Des mains qui ne cessaient de trembler, remarqua-t-elle en pinçant les lèvres.

Un soupir gonfla sa poitrine.

« Je me trouve dans une situation impossible », pensa-t-elle.

Quelques instants plus tard, en traversant le hall pour retourner dans le salon où devait l'attendre Dio, elle remarqua une photo dans un cadre doré. Elle reconnut Dio, en smoking. Il se trouvait en compagnie d'un homme plus âgé — son père, vraisemblablement —, et d'Helena Teriakos, en robe du soir.

Eleanor prit une profonde inspiration avant de pénétrer dans le salon.

— Je n'avais aucune intention de te parler de… de ça ! lança-t-elle. C'était stupide de ma part. De toute manière, rien n'est sûr. Demain, je ferai un test de grossesse.

— Tu as rendez-vous chez le médecin ?

— Non.

— Je m'en occupe.

— Ce n'est pas la peine. Je…

— Il vaut mieux que tu sois examinée par un spécialiste.

— Mais je…

— Pas de discussion ! Après tout, cette affaire me concerne autant que toi.

Cela, certainement pas ! D'ailleurs, déjà, elle avait l'intuition qu'il prenait de la distance. Certes, il disait ce qu'il fallait, estimant de son devoir de l'épauler dans un moment difficile. Mais elle devinait qu'il espérait de tout son cœur un résultat négatif. Et aussi qu'il regrettait beaucoup le jour où leurs chemins s'étaient croisés…

— Il fait très chaud ici, murmura-t-elle. Je vais aller sur la terrasse, j'ai besoin d'air…

— Il gèle dehors.

— Eh bien, tu n'as qu'à fermer derrière moi si tu as peur d'attraper froid !

Il suffit à Dio d'appuyer sur un bouton pour que la baie vitrée se mette à coulisser. Eleanor s'empressa de sortir et traversa la terrasse pour s'agripper à la balustrade. On avait une vue fantastique de là-haut. Mais ce fut sans y prêter vraiment attention qu'elle contempla la succession des ponts sur la Tamise où se reflétaient mille lumières.

Dio la rejoignit.

— Rentre ! Tu veux attraper une pneumonie ?

— L'air frais me fait du bien…

Elle lui adressa un coup d'œil accusateur.

— Nous sommes complètement incompatibles ! La preuve ? On n'arrive pas à s'adapter aux mêmes températures. Quand tu as froid, j'ai chaud. Et vice versa.

— Eleanor…

Il l'attira contre lui. Si elle s'était écoutée, elle se serait lovée contre lui. En cet instant, elle le voulait de toutes les fibres de son corps. Honteuse de sa faiblesse, elle réussit à rester rigide entre ses bras.

Il fallait bien, hélas, qu'elle admette enfin la réalité ! Elle aimait cet homme de toutes ses forces, de toute son âme et de tout son cœur… Mais elle savait bien qu'il n'y avait aucune histoire possible entre eux.

De tout manière, avec cette possible grossesse, elle avait déjà gâché toutes ses chances : Dio ne cherchait rien d'autre qu'une brève aventure. Et maintenant, avec cette éventualité qui s'annonçait, il était probable que la seule chose dont il avait hâte, c'était de se débarrasser d'elle.

— Tu es glacée. Viens, rentrons…

— C'est chez moi que je veux rentrer.

— Pas ce soir. Tu as eu un malaise, tu ne peux pas rester seule.

— Pfff ! Il y a longtemps que je vis seule ! Je suis parfaitement capable de me débrouiller.

Elle eut un rire sans joie.

— Tu ne t'attendais pas à une histoire pareille, n'est-ce pas ? Moi non plus, remarque. Mais je suis blindée. Tandis que toi, tu as l'habitude que d'autres aplanissent tout pour toi. Les ennuis ? Tu ne connais pas…

— Je n'appellerais pas ce qui nous arrive un ennui.

D'autorité, il la ramena à l'intérieur.

— Veux-tu manger quelque chose ?

Elle se dégagea et alla s'asseoir au bout d'un canapé.

— Je n'ai pas faim.

Dio l'examina d'un air pensif.

— Il faut accepter sa destinée, *paidi mou*. Le sort en est jeté.

— Rien n'est encore sûr.

A mi-voix, comme pour lui-même, il murmura :

— Je suis tellement accoutumé à sortir avec des femmes assez expérimentées pour prendre toutes les précautions nécessaires que, je l'avoue, je n'ai pas suffisamment mesuré le risque que nous courions.

— Arrête de dire « nous » ! s'exclama-t-elle, agacée.

— Impossible de parler pour l'instant. Tu es trop fâchée contre moi.

Il avait compris que sa colère montait avant même qu'elle s'en aperçoive. C'était une espèce de rage désespérée, impuissante…

— Viens ici ! ordonna Dio avec cette espèce d'exaspération tendre que les adultes emploient lorsqu'ils ont affaire à un enfant difficile.

Elle sentit alors les larmes lui monter aux yeux.

— Il est tard. Je suis fatiguée. Si tu m'obliges à rester ici, je voudrais m'allonger.

Elle lui adressa un coup d'œil plein de méfiance.

— A condition que tu n'en profites pas pour…

— Tu n'as rien à craindre. Je sais me dominer.

— Oh, oui, tu sais te dominer ! lança-t-elle avec mépris. D'ailleurs, je trouve ton calme assez… assez énervant. Depuis que j'ai mentionné la possibilité que je sois enceinte, tu n'as pas manifesté un soupçon d'émotion. C'est quand même assez choquant !

Elle cherchait un prétexte pour le haïr. Tout aurait été tellement plus simple ainsi !

Dio lui prit les mains et l'obligea à lever vers lui ses magnifiques yeux émeraude scintillants de larmes.

— Tu as peur. Tu paniques… Pourquoi ? Tu n'es pas seule dans cette histoire. Fais-moi confiance !

— Comment pourrais-je faire confiance à un homme qui voulait que je devienne sa maîtresse ?

Il parut stupéfait.

— Ça n'a rien à voir…

— Au contraire ! Quand tu m'as demandé cela, tu ne pensais qu'à toi, en bel égoïste que tu es ! Tu me prends vraiment pour une idiote ? Si je suis enceinte, je sais parfaitement ce que tu me proposeras, et sans perdre une seconde ! Un bref séjour discret dans une clinique… et plus question de bébé. Exactement ce que mon père envisageait pour moi…

Dio pâlit sous son hâle avant de se mettre à jurer en grec. Puis il l'enlaça. Elle voulut le repousser, mais le rapport de force était inégal.

Alors, les yeux clos, elle se laissa aller contre le torse solide de Dio en souhaitant que cet instant dure éternellement.

— Je te jure que jamais je n'envisagerai une telle solution ! déclara-t-il avec force.

Eleanor sentit son anxiété diminuer d'un cran. Elle murmura :

— Ce ne serait pas bien, ce ne serait pas juste si tu me poussais à…

— Ta mère a su résister à la pression qu'exerçait ton père sur elle.

Elle laissa échapper un rire sarcastique.

— Tout simplement parce qu'elle avait peur d'aller à la clinique ! Par ailleurs, mon père ne voulait pas de moi. Bien sûr, il ne l'a pas dit franchement. Il était trop diplomate pour cela. Il prétendait qu'il ne pouvait pas supporter l'idée qu'elle devienne une mère célibataire. Elle l'a cru… Elle croyait tout ce qu'il disait !

Dio la maintenait toujours serrée contre lui.

— Comment cela s'est-il terminé ?

— Mal.

— C'est-à-dire ?

Eleanor le fixa droit dans les yeux avant de déclarer avec gravité :

— Ma mère est restée sa maîtresse pendant seize ans.

— Non !

— Tu comprends pourquoi j'ai vu rouge quand tu m'as proposé de prendre le même chemin ?

Elle esquissa un sourire sardonique.

— Au moins, toi tu n'es pas marié.

Dio resserra son étreinte.

— Tu avais raison, quand je t'ai demandé de vivre avec moi, j'ai agi en parfait égoïste. Je ne pensais qu'à mon petit bien-être, à mon petit plaisir. Pas du tout à toi…

Elle noua ses bras autour de cette nuque puissante.

— Je ne veux pas devenir ta maîtresse, s'entendit-elle dire. Mais je veux être à toi cette nuit…

La surprise laissa Dio sans voix. Stupéfaite de s'être exprimée avec une telle spontanéité, Eleanor devint écarlate.

— Je ne te mérite pas…, fit Dio d'une voix rauque.

Et sans effort, il la souleva et l'emmena dans sa chambre. Quelques instants plus tard, Eleanor se retrouva allongée sur un lit très large et très bas.

En hâte, Dio se débarrassait de ses vêtements. Quand il apparut dans sa superbe nudité, telle une statue d'airain, Eleanor retint sa respiration. Elle avait tant rêvé de cet instant, tout en étant persuadée que jamais elle ne le revivrait… Et un miracle s'était produit !

Maladroitement, elle se mit en devoir d'ôter ses propres vêtements. Dio l'en empêcha.

— Non, laisse-moi faire.

Tout en multipliant les caresses et les baisers, il la dénuda avec une lenteur qui ne faisait qu'accroître son impatience. Dès qu'il lui effleura les seins, elle eut l'impression d'être traversée par un courant électrique.

Elle s'arqua contre lui, s'offrant tout entière. Ce n'était plus du sang qui coulait dans ses veines, mais du feu... Toutes ses inhibitions oubliées, elle osait des gestes dont jamais elle n'aurait eu l'idée auparavant.

Il eut un rire rauque.

— Tu as vite appris les jeux de l'amour !

C'était si bon de pouvoir le toucher partout... En cet instant, il n'y avait plus qu'eux au monde. Cet homme, qu'elle désirait de toutes ses forces, et elle, rayonnante de beauté, de féminité.

Certes, elle voulait qu'il lui donne du plaisir... Mais, par-dessus tout, elle souhaitait lui en donner. Et ses mains s'affolaient dans des caresses de plus en plus précises.

Bientôt, ils ne firent plus qu'un, dans la danse la plus érotique, la plus ancienne du monde. Eleanor s'accrochait à Dio presque désespérément, secouée par d'intenses vagues de volupté...

Ensemble, ils montèrent de plus en plus haut. Ensemble, ils atteignirent l'extase avant de retomber sur le lit, hors d'haleine, épuisés.

Et juste à ce moment-là, le téléphone sonna.

— Ne réponds pas ! supplia-t-elle.

Dans son esprit, la tendresse et la douceur devaient succéder à la passion, et elle ne voulait pas manquer ces instants privilégiés. Mais Dio tendit le bras pour décrocher l'appareil posé sur la table de nuit.

— J'attends un appel, déclara-t-il d'un ton sans réplique. A plat ventre, elle l'observa tandis qu'il discutait dans un grec très rapide. Comme il semblait distant, soudain ! Si distant qu'elle avait l'impression qu'un courant d'air glacial s'était engouffré dans la pièce.

Dio reposa le combiné.

— Bon, je vais prendre une douche ; puis je vais devoir travailler.

D'un bond, il se leva.

— Toi, essaie de dormir.

Le voyant soucieux et énervé, elle demanda :

— Que se passe-t-il ?

— Ça ne te concerne pas.

Furieuse, Eleanor s'écria :

— Maintenant, je ne compte plus ! Tu aimerais bien pouvoir siffler pour m'avoir à ta disposition, puis m'enfermer dans un placard aussitôt après...

De plus en plus énervé, Dio se mit à jurer dans sa langue. Rouge de colère, mais surtout peinée par la manière dont il la rabrouait, Eleanor se leva à son tour.

— Puisque c'est ainsi, je rentre chez moi.

— Je veux que tu restes !

Elle soutint son regard.

— Ce n'est pas l'impression que tu donnes.

— Je ne vais quand même pas te supplier, *paidi mou* !

Ces deux derniers mots eurent pour effet de l'apaiser immédiatement. *Paidi mou*... S'agissait-il d'un terme affectueux ? Elle le supposait, mais au fond, elle n'en savait rien.

Dans la salle de bains adjacente, dont Dio avait laissé la porte entrouverte, l'eau de la douche coulait.

Ce coup de téléphone avait semblé le déstabiliser. S'il avait reçu de mauvaises nouvelles, pourquoi ne lui en parlait-il pas ?

Ses doutes revinrent au galop. Elle ne maîtrisait guère l'invraisemblable situation dans laquelle elle se trouvait. En réalité, elle se sentait si peu sûre d'elle-même qu'il aurait fallu tout le temps la rassurer. Or Dio ne semblait pas vouloir entrer dans ce jeu-là.

A côté, l'eau coulait toujours. Elle sortit du lit, réunit ses vêtements et sur la pointe des pieds sortit. Elle alla s'installer dans la chambre où elle était allée se changer, un peu plus tôt.

« Si Dio veut vraiment que je sois avec lui, il n'a qu'à venir me chercher », se dit-elle.

Mais il ne vint pas.

Le lendemain matin, un domestique lui apporta son petit déjeuner sur un plateau. Puis Dio l'appela sur une ligne interne pour lui annoncer qu'il avait pris rendez-vous pour elle chez un spécialiste.

Avec tact, il ajouta :

— Nathan Parkes est l'un de mes amis. Si cela ne te plaît pas de consulter quelqu'un que je connais, je m'arrangerai autrement.

— Oh, voir un médecin ou un autre…

Un peu plus tard, dans la Ferrari noire que Dio conduisait lui-même, Eleanor demeurait silencieuse. Elle n'avait même pas le courage de se lancer dans une conversation polie.

Déjà, elle s'en voulait d'avoir succombé à son charme aussi aisément, la veille. La manière dont elle s'était conduite lui faisait honte. Comment avait-elle pu perdre la tête ainsi ?

Soit, elle aimait Dio. Mais était-ce une raison pour s'abandonner de la sorte ? Oh, comme elle était faible !

Tout en descendant de voiture, elle déclara avec ressentiment :

— Au fond, on aurait mieux fait de ne jamais se rencontrer.

— Pas d'accord. D'ailleurs, tu ne le penses pas non plus.

— Qu'en sais-tu ?

Elle fronça les sourcils quand il la suivit sur le trottoir.

— Pourquoi ne restes-tu pas dans la voiture ?

— Je t'accompagne.

— Ah, non, alors ! Que le spécialiste m'examine, soit — mais sans témoin, s'il te plaît !

Vingt minutes plus tard, Eleanor fut fixée.

— Vous êtes enceinte, lui annonça Nathan Parkes.

— Il n'y a aucun doute ?

— Aucun.

Eleanor contempla ses mains crispées tandis qu'il poursuivait :

— A ce stade, il est tout à fait normal que vous ayez quelques petits malaises. Ce n'est pas cela qui m'inquiète. En revanche, je ne suis pas très content de votre poids.

— J'ai sauté pas mal de repas ces derniers temps.

— Ce n'est pas raisonnable. Il faut vous forcer à manger… Je sais bien que les nausées coupent l'appétit, mais ce n'est pas une raison !

Les nausées n'avaient rien à y voir. C'était à cause de Dio qu'elle ne mangeait plus. Parce qu'elle ne cessait de penser à lui, de rêver de lui…

Eleanor se mordit la lèvre inférieure presque au sang. Elle se croyait préparée à l'annonce de cette grossesse, mais il n'en était rien. Encore sous l'effet du choc, elle redoutait l'avenir. Terriblement !

Dio l'attendait, adossé à la carrosserie de sa Ferrari. Il lui suffit de voir le visage d'Eleanor pour comprendre.

— Il faut fêter ça ! s'exclama-t-il.

— Tu te moques de moi ? Pour une fois dans ta vie, tu ne peux pas dire ce que tu penses vraiment ?

— J'estime que la conception de mon premier enfant représente un grand événement ! Songe un peu : nous allons devenir des parents… Je suis très content !

Un peu plus tard, dans la voiture, Eleanor demanda :

— Tu es content ? Sincèrement ?

— Un peu secoué mais content, oui, vraiment !

A un feu rouge, il posa la main sur les doigts crispés d'Eleanor avant d'ajouter :

— Et aussi très sentimental. Follement, absurdement sentimental !

Elle soupira.

— Moi, j'ai l'impression d'être passée sous un rouleau compresseur.

— Tu as l'air fatiguée. Je te ramène chez moi pour que tu puisses te reposer un peu.

— Je ne peux pas. J'ai téléphoné à M. Barry pour lui dire que je devais voir le médecin. Il a dû ouvrir la librairie à ma place, mais j'ai promis de venir le relayer le plus vite possible.

Elle haussa les épaules.

— Et puis j'ai besoin de vêtements. Je ne peux pas aller m'installer chez toi avec seulement ce que j'ai sur le dos.

— Ce n'est qu'un détail ! J'aime mieux te ramener à la maison. D'autant plus que je suis obligé de me rendre à Paris cet après-midi. Je ne reviendrai sûrement pas avant demain soir.

— Je serai mieux chez moi, déclara Eleanor avec fermeté. Je m'y sentirai plus à l'aise.

— Quand tu seras ma femme, tu feras ce que je te dirai. Surtout si ta santé est en jeu !

Elle fronça les sourcils.

— Moi ? Ta femme ? Tu n'es pas sérieux ?

— Oh, si !

— On se connaît à peine !

— On se connaît bien assez. Tu me plais, je t'aime bien, je te respecte, je te désire. Que veux-tu de plus ?

— Et l'amour, dans tout ça ?

— Et notre enfant ?

Il y eut un silence.

— Je veux t'épouser, déclara Dio d'un ton sans appel.

— De nos jours, on ne se marie plus à cause d'une grossesse accidentelle ! protesta-t-elle.

— J'ai peut-être des idées d'un autre temps. Mais c'est ainsi.

— Ecoute, Dio…

— On se mariera le plus vite possible.

— Laisse-moi le temps de réfléchir…

— *Paidi mou*, as-tu pris le temps de réfléchir hier soir ?

— Tu exagères ! s'exclama-t-elle en rougissant.

Lorsque Dio arrêta sa voiture à quelques mètres de la librairie, Eleanor se sentit soulagée. Elle avait craint qu'il ne veuille la ramener chez lui, de gré ou de force.

— Donc, nous allons nous marier dans les plus brefs délais, insista-t-il. Et…

— Je ne veux pas t'épouser !

— Ma chère, ma décision est prise. Pas de discussion, s'il te plaît !

— Vraiment, tu…

— Toi et moi, je sens que ça devrait marcher, assura-t-il. Evidemment, j'aurais mieux fait de demander ta main au cours d'un dîner aux chandelles. En te glissant au doigt une bague de fiançailles…

Il plongea son regard dans le sien.

— J'ai été très maladroit. Sache que je souhaite vraiment t'épouser, Eleanor. Je t'en prie, dis oui !

Comme hypnotisée, elle murmura :

— Oui…

— Enfin ! Ce n'était pas bien difficile, tu vois !

Il consulta sa montre.

— Maintenant, il faut que j'aille au bureau. Et de là je me rendrai directement à l'aéroport. Je t'appellerai demain.

— Pourquoi pas ce soir ?

— Je serai pris toute la soirée.

A peine Eleanor était-elle descendue de la Ferrari que Dio démarrait sur les chapeaux de roues. Elle porta les mains à ses joues brûlantes. Décidément, les coups de théâtre se succédaient : en une heure, elle venait d'apprendre qu'elle était enceinte… et qu'elle allait se marier !

C'était trop !

Les contes de fées existaient-ils donc ? Peut-être avait-elle eu tort de juger tous les hommes à l'aune de son propre père. Dio était tellement différent !

Oh, elle ne se faisait pas d'illusions : il ne l'aimait pas, c'était évident. Mais à force de patience, peut-être réussirait-elle à conquérir son cœur ?

Ce mariage serait fondé sur des bases relativement solides. Dio avait dit qu'il l'aimait bien et qu'il la respectait. Et puis il y aurait le bébé.

En tout cas, elle était bien décidée à faire tout ce qui était en son pouvoir pour rendre Dio heureux. Elle serait la plus tendre, la plus douce, la plus attentive des épouses…

Le lendemain, un peu après midi, une longue limousine aux vitres teintées s'arrêta devant la librairie. Dio était donc rentré de Paris plus tôt que prévu ?

Eleanor ne perdit pas une seconde.

— Puis-je aller déjeuner maintenant ? demanda-t-elle à M. Barry.

Elle avait l'habitude de prendre une pause d'une demi-heure, quand le libraire était là. Ce dernier ne parut par conséquent nullement surpris.

— Comme vous voulez.

Et il se remit à vérifier les livres comptables qu'elle lui avait soumis.

Un sourire heureux aux lèvres, Eleanor sortit en hâte. Elle eut un mouvement de stupeur lorsqu'une grande femme brune vêtue d'un tailleur rouge vif descendit de la limousine. Helena Teriakos…

Cette dernière la toisa d'un regard glacial.

— Où pouvons-nous nous entretenir sans témoins ? demanda-t-elle d'un ton hautain.

Déconcertée, Eleanor hésita. Déjà, Helena Teriakos retournait vers la limousine.

— Allons dans ma voiture.

Elle ne se retourna même pas pour vérifier si Eleanor la suivait.

Cette dernière hésitait toujours. Cela ne lui plaisait guère d'être traitée comme une domestique… Mais Helena Teriakos faisait partie de la famille de Dio. Et elle était aussi très consciente de son importance ! Il avait suffi à Eleanor de la voir évoluer dans la somptueuse villa de Chindos pour le comprendre…

Elle se décida enfin à pénétrer dans la limousine dont un chauffeur déférent maintenait la portière ouverte.

Helena Teriakos prit tout son temps pour l'examiner.

— Une vendeuse, doublée d'une femme de ménage ! lança-t-elle enfin avec arrogance. La mort de son père a rendu Dio complètement fou… Je n'étais pas spécialement contente en vous voyant arriver avec lui le jour de l'enterrement. Mais étant donné les circonstances, j'étais prête à passer l'éponge…

Eleanor fut offusquée par ces paroles.

— En quoi les faits et gestes de Dio vous regardent-il, s'il vous plaît ?

Helena haussa les sourcils.

— Les hommes seront toujours les hommes ! fit-elle avec fatalisme. Et, grâce au ciel, je ne suis pas d'un tempérament possessif. J'ai même les idées assez larges, et je me suis toujours attendue que Dio prenne une maîtresse après notre mariage.

— *Votre* mariage ? répéta Eleanor, incrédule.

Helena Teriakos eut un rire sarcastique.

— Vous n'êtes même pas au courant ? Dio et moi sommes destinés l'un à l'autre, et cela, pratiquement depuis le berceau…

Eleanor l'interrompit :

— Non ! s'écria-t-elle d'une voix tremblante. Non, ce n'est pas vrai ; ce n'est pas possible : Dio me l'aurait dit !

— Comme s'il avait besoin de faire des confidences à quelqu'un comme vous ! Vous n'êtes qu'un numéro au bout de la longue liste de celles qui se sont succédé à son côté pour une nuit, une semaine ou un mois… Rarement davantage !

Les yeux d'Helena Teriakos étaient plus froids que jamais.

— Si vous faisiez partie de notre cercle social, vous sauriez depuis longtemps que tout le monde attend l'annonce officielle de nos fiançailles.

Eleanor se sentait humiliée, trahie… Ainsi, Helena Teriakos n'était pas une parente de Dio, mais sa future épouse ! Il s'agissait, bien évidemment, d'un mariage arrangé… Dio lui avait parlé de ces coutumes, sans qu'elle y attache toutefois beaucoup d'importance. D'ailleurs, elle pensait que ces usages rétrogrades n'avaient plus cours. Apparemment, elle s'était trompée.

Le choc était terrible. Elle dut faire appel à tout son orgueil pour ne pas montrer son désarroi.

— Je ne comprends pas comment vous pouvez accepter de voir Dio sortir avec d'autres femmes !

Son ton méprisant valait celui d'Helena.

— Dio et moi avons des liens qu'une petite employée comme vous ne pourra jamais comprendre.

Et, d'un air supérieur :

— Nous faisons partie du même monde, nous avons les mêmes amis… Bref, nous sommes parfaitement assortis. Malheureusement, Dio a des principes. Voilà qu'il a décidé de vous épouser parce que vous avez eu la maladresse de tomber enceinte !

Eleanor se sentit glacée.

— Il… il vous a dit que… que…

— Il s'est rendu hier à Paris pour me raconter tout cela.

Avec une satisfaction méchante, elle ajouta :

— Nous avons passé la soirée ensemble… Vous ne saviez pas cela non plus, bien sûr ! Il m'a confié que cette histoire le dévastait, mais qu'en homme d'honneur, il se sentait tenu de réparer ce faux pas.

— Nous ne sommes plus à l'époque victorienne ! s'exclama Eleanor.

— C'est bien mon avis. Voilà pourquoi je suis ici… On peut arranger les choses. Je suis prête à vous donner une fortune pour que vous consentiez à avorter. Combien voulez-vous ? Cinq cent mille livres sterling ?

Même dans ses rêves les plus fous, Eleanor n'aurait jamais pensé avoir un jour une telle somme à sa disposition.

— Un million ? reprit Helena. Je suis riche, je suis prête à me montrer généreuse. Vous pourrez toujours raconter à Dio que vous avez fait une fausse couche… Je ne vous obligerai pas à le quitter. Si vous le souhaitez, vous continuerez à être sa maîtresse, cela ne me dérange pas.

Son rire sarcastique retentit de nouveau.

— Mais croyez-moi, comme épouse, vous ne tiendrez pas trois jours !

Eleanor lui fit face.

— Je ne veux pas de votre argent. Et je garde mon bébé.

— Mais vous ne pouvez pas épouser Dio ! Vous imaginez les gros titres : *Dionysios Alexiakis épouse sa femme de ménage…*

Avec une grimace pleine de dédain, Helena poursuivit :

— Dio est un homme très orgueilleux. Il ne pourra pas supporter de voir étalées dans la presse, avec force détails, les circonstances sordides de votre naissance.

Eleanor tressaillit tandis que, avec une satisfaction méchante, Helena Teriakos poursuivait :

— Je suis au courant de tout ce qu'il y a à savoir à votre sujet. Avec de l'argent, on obtient toutes les informations qu'on veut.

Et, avec un geste impérieux, elle conclut :

— A vous de faire votre choix, maintenant. Si vous épousez Dio, je prédis que le divorce sera encore plus rapide que le mariage…

— Je… je ne veux pas l'épouser, s'entendit déclarer Eleanor d'une voix mal assurée qu'elle ne se connaissait pas.

— Ah ! Vous devenez enfin raisonnable ! J'espère que la leçon aura été salutaire… Sachez qu'un mariage basé sur le chantage à l'enfant ne dure jamais.

Elle se remit à rire.

— Les erreurs de votre mère ne vous ont donc rien appris ? Elle est restée dans l'ombre pendant des années, pathétiquement fidèle à un homme qui n'a même pas voulu vous reconnaître. Et le jour où il s'est retrouvé veuf, au lieu de se tourner vers celle qui lui avait témoigné une adoration sans faille, il n'a rien trouvé de mieux à faire que d'épouser sa secrétaire, une fille qui avait la moitié de son âge !

Eleanor pâlit. L'attaque avait été trop cruelle… Les yeux brouillés de larmes, elle chercha la poignée de la portière à tâtons.

— Ne partez pas encore ! s'écria Helena. Je veux que vous vous débarrassiez de cet enfant !

— Sûrement pas ! C'est *mon* bébé ! Vous n'avez pas à…

— Méfiez-vous. Je peux être une ennemie redoutable. Et…

Eleanor n'en entendit pas davantage : elle était déjà sortie de la voiture.

Terrassée de désespoir, elle courut se réfugier dans son minuscule appartement. Elle aurait voulu pleurer mais les larmes refusaient de venir.

Dio lui avait menti… Et elle se retrouvait maintenant dans une situation inextricable. Enceinte d'un homme qui devait en épouser une autre !

« Avec cette Helena Teriakos, ils forment une belle équipe ! pensa-t-elle, écœurée. J'ai hâte de dire à ce goujat ce que je pense de sa conduite. »

7.

Eleanor attendait Dio depuis déjà deux heures quand elle entendit une porte claquer. Aussitôt, elle se leva, prête à faire une scène.

Depuis la visite d'Helena, elle avait eu le temps de réfléchir. Et de se rendre compte que, si elle avait été moins naïve, elle aurait compris toute seule la situation.

Dio pénétra dans le vaste salon. Même si son visage ne révélait rien, elle devina immédiatement qu'il était très tendu.

— Helena est donc allée te voir ? lança-t-il.

Eleanor eut l'impression qu'on lui coupait l'herbe sous le pied. Ainsi, il était déjà au courant ! Le petit préambule qu'elle avait soigneusement mis au point se révélait inutile.

— Voilà un geste aussi chaleureux que généreux, enchaîna-t-il. Remarque, je n'en attendais pas moins de sa part.

Sidérée, Eleanor demeura pendant quelques instants sans voix. Puis la colère la submergea.

— Un geste chaleureux ! Tu te moques de moi ou bien tu es complètement idiot ?

Dio l'enveloppa d'un regard glacial.

— Elle t'a gentiment offert son aide. Au lieu de l'accepter avec gratitude, tu l'as envoyée promener grossièrement. J'ai dû m'excuser à ta place.

— Ce n'est pas possible ! Quelle hypocrite ! Tu sais ce que c'était, sa prétendue aide ? Elle m'a proposé un million de livres pour avorter !

94

Une lueur d'incrédulité passa dans les prunelles de Dio. Puis il haussa les épaules.

— Si tu tiens absolument à mentir, essaie de trouver quelque chose d'un peu plus convaincant. Que ce soit moins mélodramatique, aussi…

Avec assurance, il martela :

— Je connais Helena. Jamais elle ne s'abaisserait à cela !

— Vous vous valez bien, tous les deux ! lança-t-elle avec une dérision désespérée. Si tu la trouves aussi parfaite, je me demande pourquoi tu m'as…

— Oh, je t'en prie !

— Quand je pense que tu es allé raconter à cette femme que j'étais enceinte !

Il sembla pâlir sous son bronzage.

— Je lui devais une explication franche.

— Et tu ne m'avais jamais dit qui elle était. Quand je l'ai vue le jour de l'enterrement, j'étais persuadée qu'elle faisait partie de ta famille.

— Exact. Nous sommes de très lointains cousins. Je la connais depuis toujours et…

— En tout cas, tu ne sembles pas savoir de quoi elle est capable. Quand je te dis qu'elle m'a proposé un million de livres pour avorter, je dis la vérité. Elle est prête à tout pour te garder.

— Je t'interdis de dire du mal d'Helena !

Eleanor eut un rire sans joie.

— Ne t'inquiète pas, nous n'aurons plus l'occasion d'en parler, de ta chère Helena ! Quand je pense que je te faisais confiance… Je te croyais libre ! Il n'y aurait jamais rien eu entre nous si j'avais su qu'il y avait une autre femme dans ta vie.

— Helena et moi n'avons jamais été amants. Et, même si nos familles avaient tout organisé, même s'il y avait une sorte de pacte tacite entre nous…

— Pourquoi ne l'as-tu pas épousée quand ton père te l'a demandé ? coupa Eleanor avec amertume.

— Je ne me sentais pas prêt, et puis je n'aime pas qu'on essaie de me forcer la main.

Après une pause, il ajouta :

— Je dois dire que mon père était le seul à mettre la pression. Helena n'a jamais cherché à me pousser dans un sens ou dans l'autre.

Sainte Helena ! Dio la mettait vraiment sur un piédestal…

— A Chindos, quand nous avons passé la nuit ensemble, tu savais déjà que tu devrais l'épouser un jour ?

— Je te l'ai expliqué : ce mariage avait été organisé par nos familles alors que nous étions encore au berceau !

— Je n'arrive pas à y croire…

D'un ton dur, bien décidée à dire tout ce qu'elle avait sur le cœur, elle poursuivit :

— Quoi qu'il en soit, tu n'as pas été franc avec moi. Tu étais prêt à m'installer dans une garçonnière où tu aurais pu me rendre visite quand la fantaisie t'en aurait pris… C'est vraiment écœurant ! D'autant plus que lorsque tu m'as fait cette proposition, tu avais toujours l'intention d'épouser Helena !

Elle secoua la tête avec incrédulité.

— Comment peut-on se marier en sachant à l'avance qu'on sera infidèle ?

— Je commence à en avoir assez !

Dio se mit à jurer copieusement dans sa langue.

— Ces dernières vingt-quatre heures ont été plutôt pénibles pour moi, reprit-il d'un ton sec. Ne viens pas me faire une scène par-dessus le marché ! Que cela te plaise ou non, Helena est la seule à plaindre dans cette histoire. Quand tu essaies de te poser en victime, tu inverses les rôles.

— Pauvre Helena ! ironisa Eleanor. Une victime, maintenant !

— Je l'ai profondément blessée dans son orgueil. Pourtant elle n'a pas eu un mot de reproche.

— Elle est très habile.

— Seigneur ! Ce que tu peux être venimeuse… Et sans raison ! Après tout, c'est toi que je vais épouser.

Eleanor prit son sac. L'épuisement et le désespoir la submergeaient, mais il fallait qu'elle trouve la force de rompre définitivement.

— Désolée, Dio, déclara-t-elle avec détermination. Notre mariage n'aura jamais lieu. Ah, ça, sûrement pas !

— Tu es folle !

— Pas du tout. J'y vois enfin clair. Hier, j'ai paniqué en apprenant que j'attendais un bébé… J'ai été assez faible pour accepter de devenir ta femme. Je sais maintenant que ta place est avec Helena. Pour moi, il est hors de question de faire partie d'un triangle aussi malsain que celui que tu as en tête.

— C'est bien ce que je disais : tu es folle !

— Bien au contraire : j'ai enfin recouvré la raison.

— Tu portes mon enfant !

— Je le sais. Et je sais aussi que c'est uniquement pour cela que tu as proposé de me donner ton nom.

Déjà, elle était dans le hall. Dio la suivit.

— Il y a plus que cela entre nous, *paidi mou.*

— Le sexe, tu veux dire ? lança-t-elle avec mépris. Je peux très bien m'en passer.

— Reviens ! Ne sois pas idiote !

— Laisse-moi tranquille. N'essaie pas de me téléphoner ni de venir me voir. Plus tard, quand tu seras calmé et moi aussi, on pourra peut-être avoir une conversation au sujet de ce bébé. Pour le moment, et dans ces conditions, c'est hors de question !

Au cours de la semaine qui suivit, Eleanor vécut comme un zombie. Nuit et jour, Dio occupait ses pensées. Elle était dans un tel état qu'elle ne savait plus si elle l'aimait encore… ou si elle le haïssait.

Sans tenir compte de ses interdictions, il lui téléphonait quotidiennement. Dès qu'elle reconnaissait sa voix au bout du fil, elle raccrochait.

Elle ne voulait rien savoir de lui pour le moment. Le fait qu'il ait préféré ajouter foi à la version d'Helena plutôt qu'à la sienne l'avait cruellement blessée.

Désormais, elle y voyait clair : s'il n'y avait pas eu ce bébé, jamais Dio n'aurait songé à lui donner son nom. Elle serait restée *un numéro au bout de la longue liste de celles qui s'étaient succédé au côté de Dio pour une nuit, une semaine ou un mois…*

Oui, ils étaient bien assortis, ces deux êtres sans pitié qui, ainsi que l'avait souligné Helena avec vanité, appartenaient au même monde. Les *happy few*. L'élite.

Dio aurait une épouse de sa classe. Riche, follement élégante, habituée à vivre dans un luxe indescriptible… Soit, ce n'était qu'un bloc de glace. Mais elle avait les idées larges puisqu'elle était prête à accepter qu'il ait une maîtresse en titre ! Dio pourrait donc continuer à multiplier les aventures à sa guise.

Ce samedi-là, Joe Barry, le neveu de M. Barry, téléphona à Eleanor.

— Mon oncle a la grippe. Il ne pourra pas aller à la librairie pendant au moins une semaine. Vous pourrez vous débrouiller toute seule ?

— Il le faudra bien.

Cela allait être dur de rester dans la boutique sans une seule pause de 9 heures du matin jusqu'à 20 heures…

« Nécessité fait loi ! » se dit-elle.

Grâce au ciel, elle pourrait se reposer le lendemain, qui était un dimanche. Elle profita de cette journée de liberté pour rendre une petite visite à Meg Bucknall, afin de lui expliquer qu'elle ne retournerait pas travailler chez Alexiakis International.

— Je te comprends ! s'exclama Meg. Tu serais en butte à la curiosité de toutes les filles… Elles n'arrêtent pas de parler de toi. Si tu savais comme elles t'envient !

— Si elles connaissaient ma situation, je t'assure qu'elles ne voudraient pas être à ma place.

— Il paraît que le patron est d'une humeur de chien. Il reste au bureau tous les soirs jusqu'à des heures insensées. Et figure-toi que tous les cadres sont obligés de suivre les mêmes horaires… Ça ne leur plaît guère, comme tu peux l'imaginer. Mais que peuvent-ils dire ?

— Je n'ai pas envie de parler de M. Alexiakis.

Meg hésita.

— Laisse-moi quand même te poser une question… Juste une ! C'est toi qui l'as laissé tomber ?

Eleanor demeura silencieuse.

— C'est ce que nous espérons toutes ! s'exclama Meg.

Et, presque vindicative :

— Ça lui ferait le plus grand bien, à ce macho que personne n'a encore jamais plaqué ! Son arrogance en prendrait un coup.

Eleanor haussa les épaules.

— Rien ni personne ne peut rabaisser l'arrogance de M. Alexiakis.

Lorsque Eleanor revint chez elle, en fin d'après-midi, il lui fallut comme d'habitude traverser la librairie. A sa grande surprise, elle vit de la lumière dans le petit bureau du fond.

Elle y trouva Joe Barry, le neveu du libraire, en train d'examiner les comptes. Ce quinquagénaire à l'estomac proéminent se leva en passant la main sur son crâne déjà dégarni.

— Comment va M. Barry ? demanda-t-elle tout de suite.

Il ne prit même pas la peine de lui répondre. Après avoir toussoté d'un air gêné, il déclara :

— En fait, c'est vous que je venais voir, mademoiselle Morgan.

— Ah, bon ! fit-elle, quelque peu déconcertée.

— Mon oncle a décidé de prendre sa retraite…

Voilà qui était nouveau !

« L'autre jour, quand nous avons parlé de cela, il ne semblait pas autrement pressé », pensa Eleanor. « Dès demain matin, il faudra que je téléphone à la banque… »

L'espace d'un instant, elle avait oublié que son statut avait changé. Réussirait-elle à organiser sa vie comme elle l'avait prévu tout en s'occupant d'un bébé ? Cela allait être très lourd… mais elle ne manquait pas de courage.

— Je vais reprendre la librairie, déclara soudain Joe Barry.

Eleanor eut l'impression que le monde s'écroulait autour d'elle. Il avait suffi de quelques mots pour anéantir les espoirs qu'elle caressait depuis des années !

Une fois le premier choc surmonté, elle balbutia :

— Mais… mais vous avez déjà une situation…

— Je pars en préretraite. J'ai l'intention de transformer complètement cette boutique. Elle est tellement vieillotte ! Il faut la moderniser…

Pinçant les lèvres, il ajouta :

— Par ailleurs, je suis navré de devoir vous annoncer que je n'aurai plus besoin de vous.

Eleanor retint sa respiration. Les choses allaient de mal en pis !

— Votre oncle avait l'intention de me vendre son fonds de commerce ! protesta-t-elle.

— Je sais que vous aviez évoqué cette possibilité ensemble. Malheureusement pour vous, il n'y a eu aucun engagement écrit.

— La parole de M. Barry…

D'un geste, il balaya ses arguments.

— Sans engagement écrit, elle ne vaut rien. Mon avocat me l'a confirmé.

— Mais…

— Mon oncle aurait dû vous mettre au courant de tout cela il y a déjà plusieurs semaines. Il n'a pas osé vous annoncer qu'il avait changé d'avis… Il tient beaucoup à cette librairie. Ne l'a-t-il pas créée lui-même il y a près d'un demi-siècle ? Vous comprenez bien qu'il préfère la voir rester dans la famille !

Le but qu'elle avait poursuivi pendant tant d'années n'était donc qu'une chimère ? Ce fut au prix d'un effort surhumain qu'Eleanor réussit à ne pas s'effondrer.

— Vous recevrez bien entendu les salaires et les indemnités qui vous sont dus, reprit Joe Barry. Je vous donne un mois de préavis. Il vous faudra libérer en même temps le petit appartement du premier étage, car je vais en avoir besoin.

Elle laissa échapper un cri étranglé. Elle allait donc se retrouver à la fois sans travail et sans logement ?

— De toute manière, vous l'occupez à titre gracieux et mon oncle n'a jamais établi de contrat de location à votre nom.

Eleanor fit appel à tout son courage pour ne pas montrer combien elle était accablée.

— Je partirai avant la fin du mois, déclara-t-elle avec dignité.

— Honnêtement, cela m'arrange.

Pas la peine d'enfoncer le clou ! Décidément, il n'avait pas plus de tact que… qu'un rhinocéros, songea-t-elle.

— Eh bien, je crois que nous avons tout mis au point, conclut-il. Voilà qui est parfait !

Là-dessus, il ferma les registres.

— Au revoir, mademoiselle Morgan.

Après son départ, Eleanor se laissa tomber sur l'une des marches de l'escalier en colimaçon et se prit la tête entre les mains.

Pendant près de six ans, elle avait travaillé là sans ménager son temps ni sa peine. Pas de vacances, pas de week-ends, un salaire de misère… sans compter les centaines d'heures supplémentaires non payées pour vérifier les commandes, tenir les comptes, etc.

Et cela pour arriver à quoi ?

A un mois de préavis et la nécessité de libérer les lieux… Ah, quelle idiote elle avait été !

— Que vais-je devenir ? murmura-t-elle.

Elle posa la main sur son ventre encore plat.

— Qu'allons-nous devenir, tous les deux ?

A ce moment-là, quelqu'un frappa à la vitrine. Elle leva les yeux et laissa échapper une exclamation de stupeur en reconnaissant le dragueur du huitième étage : Ricky Bolton en personne !

Sans réfléchir, elle alla lui ouvrir.

— Comment avez-vous découvert où j'habitais ? demanda-t-elle avec étonnement.

— J'ai jeté un coup d'œil dans les dossiers du personnel avant de quitter Alexiakis International. Il y a une éternité que je voulais vous appeler… mais vous savez comment c'est ! Les jours passent, les bonnes résolutions s'envolent…

Eleanor avait changé en quelques semaines. Et puis elle se sentait sur son territoire — même si c'était pour bien peu de temps encore ! Elle n'allait certainement pas se laisser intimider par un Ricky Bolton comme autrefois.

— Dites, il fait froid dehors… Je peux entrer ?

Si personne n'avait pitié d'elle, elle n'allait certainement pas en témoigner à un Ricky Bolton ! Elle demeura fermement sur le seuil, lui barrant le passage.

— Vous m'avez assez ennuyée quand je travaillais au huitième étage, lança-t-elle. Vous n'allez pas recommencer maintenant.

Il la regarda avec stupeur pendant qu'elle demandait :

— C'est vrai que vous avez eu des problèmes chez Alexiakis International et que vous avez dû partir du jour au lendemain ?

— Des problèmes ? Moi ? Jamais ! Au contraire, la chance m'a souri : on m'a proposé un superposte…

Se souvenant des prédictions de Dio, Eleanor demanda :

— L'avez-vous toujours ?

— Un chasseur de têtes m'a proposé encore mieux. Vous verrez, bientôt, j'arriverai tout en haut de l'échelle ! Vous venez faire un tour en voiture avec moi ?

Elle secoua la tête.

— Non, merci. Je n'ai pas le temps de songer à m'amuser pour la bonne raison que je suis enceinte.

Une stupeur intense se peignit sur le visage de Ricky Bolton.

— Quoi ? Enceinte, vous ? Ah, par exemple !

Il éclata de rire.

— Pour une surprise… Je voudrais bien savoir qui a réussi à vous dégeler ! Casanova, sans doute ?

Après un instant de réflexion, il murmura :

— Eh bien, tant pis pour moi ! Je reviendrai vous voir dans un an…

Il fit la grimace.

— Ou plutôt jamais. Parce que les gosses et moi…

Il avait dit cela avec tant de naturel que, malgré elle, Eleanor s'esclaffa. Se haussant sur la pointe des pieds, elle l'embrassa sur la joue.

— Merci pour votre franchise. Et adieu !

Surpris par ce baiser inattendu, il la prit gentiment par la taille.

— Entre nous, je peux vous dire que le vrai don Juan, c'est moi, déclara-t-il avec bonne humeur. Vous avez manqué l'expérience de votre vie, ma petite !

Une fraction de seconde plus tard, Ricky Bolton se pliait en deux en gémissant de douleur. Dio venait de fondre sur lui et le bourrait de coups de poing.

— Arrête ! s'écria Eleanor, horrifiée. Tu es fou ?

— Ne vous approchez plus jamais d'elle, ou vous aurez affaire à moi ! hurla Dio. Compris ?

Lorsque Ricky reconnut son agresseur, sa stupéfaction ne connut plus de bornes.

— Tu te conduis comme un sauvage, Dio ! lança Eleanor, choquée.

— C'est ta faute. Tu l'as embrassé ! Je t'ai vue !

Ricky, qui reprenait sa respiration à grand-peine, balbutia :

— Un... un petit baiser de rien du tout sur la joue ! Il... il ne faut quand même pas prendre ça au sérieux. Je pourrais vous traîner devant les tribunaux pour coups et blessures.

— Eh bien, allez-y !

Les yeux rétrécis, Ricky examinait le P.-D.G. d'Alexiakis International.

— Mieux ! Je pourrais aller à la rédaction de certains journaux pour raconter que...

Eleanor lui coupa la parole.

— N'essayez pas ! Dites-vous que cette correction était bien méritée. Ça vous apprendra à vendre des informations confidentielles !

Dio se raidit.

— Ce type... c'est Ricky Bolton ?

— Oui, affirma ce dernier.

Il eut un sourire mauvais.

— Nous sommes quittes, non ?

Et sans demander son reste, il courut jusqu'à sa voiture. Quelques secondes plus tard, il disparaissait dans un crissement de pneus.

Dio serra les poings.

— Ricky Bolton ! Que faisait-il ici ?

— Oh, je t'en prie ! Il m'a dit qu'il avait trouvé mon adresse dans les dossiers du personnel…

— Est-il venu souvent ?

— C'était la première fois.

— Tu crois que ça m'a fait plaisir de te trouver dans ses bras ? Tu me traites comme un pestiféré, tu refuses de me voir, et dès que ce type apparaît, tu…

— Ce n'était pas une raison pour sauter dessus comme…

— … comme un sauvage, oui, tu me l'as déjà dit.

Il paraissait très las. Et pour la première fois, Eleanor pensa qu'il était peut-être, lui aussi, en proie au stress. Dès que le médecin avait confirmé qu'elle était bien enceinte, Dio lui avait sans la moindre hésitation proposé de l'épouser. Puis il avait dû se rendre à Paris afin d'expliquer à Helena ce qu'il en était…

Elle tenta d'analyser les choses :

— En ce moment, nous avons des réactions bizarres, tous les deux. C'est probablement parce que nous sommes un peu dépassés par la situation. On ne s'attendait pas qu'une seule nuit nous vaille autant de complications…

Un profond soupir gonfla sa poitrine.

— Les coups de théâtre se succèdent… Je me demande quel sera le prochain !

— Moi, je le sais.

Et avant qu'elle ait pu deviner ses intentions, il l'enlaça et lui prit les lèvres. Ce baiser passionné lui fit l'effet d'une flamme vive qui la brûla tout entière. Sa tête tournait, son cœur battait à tout rompre… Toute frémissante, elle se lova contre Dio, s'agrippant fébrilement à ses épaules.

Il l'entraîna à l'intérieur de la boutique.

— Où est le système d'alarme ?

Trop troublée, elle ne lui répondit pas. Il le localisa aisément et, comme s'il n'avait fait que cela toute sa vie, appuya sur les boutons qu'il fallait.

— Maintenant, je t'emmène au restaurant. On va discuter tranquillement.

— Je ne suis pas habillée pour…

Sans achever sa phrase, elle contempla avec une moue penaude sa longue jupe noire, ses bottes à talons plats et sa vieille veste en laine. Les vêtements de tous les jours qu'elle avait mis pour rendre visite à Meg…

— Tu es très bien comme ça, *paidi mou*.

Ils étaient assis l'un en face de l'autre, un peu à l'écart des autres clients, à une table de restaurant d'une folle élégance.

Lorsque, machinalement, Eleanor leva son verre de vin, Dio le lui prit brutalement.

— Non !

Elle le regarda avec stupeur.

— Non ?

— Tu es enceinte. Pas d'alcool… Ce n'est pas bon pour le bébé. Tu ne sais pas ça ?

Elle haussa les épaules.

— Pourquoi devrais-je le savoir ?

— Tu es une femme.

— Et alors ?

— Les femmes sont au courant de ce genre de choses.

— Pas moi. J'ai vingt et un ans, je suis célibataire, et jusqu'à présent du moins, je ne pensais qu'à mon travail. Jamais je ne me suis intéressée à ce que l'on devait faire ou pas quand on attendait un bébé. Ce qui m'étonne, c'est que toi, tu le saches !

— Nathan m'a remis une brochure à l'usage des futurs pères. Je l'ai feuilletée…

Feuilletée ? Seulement feuilletée ? Eleanor était sûre qu'il l'avait lue attentivement de la première à la dernière page. Cela la remplit de tendresse et de confusion en même temps. Car elle qui travaillait dans une librairie et avait à sa disposition tous les ouvrages qu'elle voulait n'avait même pas songé à ouvrir un volume spécialisé ! Et pourtant, ils ne manquaient pas !

— Tu tiens vraiment à ce bébé, murmura-t-elle.

— Pas toi, apparemment.

A ces mots, Eleanor sentit les larmes lui picoter les paupières.

— Si ! Je veux cet enfant.

Elle s'essuya les yeux.

— Voilà que je pleure, maintenant !

— Dans ton état, c'est normal que tu sois émotive.

— C'est ta brochure qui t'a appris cela aussi ?

— Oui. Quant à moi, je dois t'aider, te soutenir, me montrer compréhensif.

— Toi, compréhensif ? Impossible...

Il posa la main sur la sienne.

— Je veux toujours t'épouser, Eleanor. Si tu as une meilleure idée, je suis prêt à t'écouter... Mais je te préviens : il y a une chose que je refuse.

— Laquelle ?

— Je ne veux pas que mon enfant passe ses journées dans un couffin, sous l'un des comptoirs de cette librairie vieillotte.

Se souvenant qu'elle devait avoir quitté les lieux moins d'un mois plus tard, Eleanor murmura :

— Ça n'arrivera pas.

— Tu vas le mettre en nourrice ?

— Je ne sais pas encore ce que je vais faire. Tu vois...

Il l'interrompit :

— Ecoute, si nous ne nous marions pas, ce bébé ne fera pas partie de la famille Alexiakis. Les miens ont des principes très arrêtés sur certains sujets...

— Des principes dépassés, coupa-t-elle.

106

— Si tu veux. Mais ce que je voulais te dire, et j'espère que tu réfléchiras à cet aspect du problème, c'est que ton fils — ou ta fille — risque de te reprocher amèrement, plus tard, de l'avoir privé de tout ce à quoi il avait droit.

Il la fixa droit dans les yeux.

— Tu as envie de l'élever comme tu l'as été toi-même ? En marge ?

A ces mots, Eleanor se mordit la lèvre inférieure presque au sang. Pouvait-elle condamner son futur bébé au sort qui avait été le sien ? Elle avait tellement souffert d'être l'enfant illégitime, celle que l'on montrait du doigt dans cette petite ville bien pensante, celle dont le père vivait à quelques rues de distance… et faisait mine de ne pas la voir quand, par hasard, il la croisait dans la rue.

Certes, les temps avaient changé ! Il y avait tant de naissances hors mariage que personne n'avait l'idée de hausser les sourcils devant une mère célibataire.

Mais malgré tout, elle aurait été stupide de refuser d'épouser le père de son bébé alors que celui-ci insistait. Et tant pis si c'était pour divorcer une semaine plus tard, comme l'avait prévu Helena.

— Alors ? interrogea Dio. On se marie ?

— On se marie, déclara-t-elle en écho, vaincue.

— Ah ! Enfin !

D'un ton plein de reproche, elle lança :

— Mais tu n'as pas cru ce que je t'ai dit au sujet d'Helena Teriakos. Quand elle m'a proposé un million de livres pour…

Il lui coupa la parole.

— Jamais Helena n'agirait aussi bassement.

Eleanor soupira. Comment pourrait-elle vivre avec un homme qui ne lui faisait pas confiance ?

— Tu l'aimes ? s'entendit-elle demander.

— L'amour n'a rien à voir là-dedans.

Elle baissa la tête, de nouveau au bord des larmes. Elle aurait dû deviner qu'il ne répondrait pas à une telle question !

Il l'épousait pour donner un nom à ce bébé. Et après… Eh bien, il demanderait le divorce.

Dio avait raison. Il était préférable que cet enfant porte le même patronyme que son père. Et de cette façon au moins, elle saurait où aller, une fois que son préavis serait écoulé. Etant donné le nouveau choc qu'elle venait de recevoir, Eleanor ne se voyait pas cherchant maintenant un nouveau logement en toute hâte. Mieux valait laisser Dio s'occuper de tout.

— Le bébé d'abord, déclara-t-il. Tu es d'accord ?

— Bien sûr que je suis d'accord.

8.

Six semaines plus tard, Eleanor Morgan épousait Dionysios Alexiakis dans l'église de son quartier — ou plutôt de son ancien quartier, car elle avait déménagé au lendemain de la visite de Joe Barry, laissant sans le moindre scrupule ce dernier se débrouiller avec la librairie.

« Je ne me laisserai plus jamais exploiter ! » s'était-elle promis en claquant la porte.

Plutôt qu'une robe de mariée classique, Eleanor avait opté pour un ensemble en crêpe d'un crème légèrement rosé. Elle avait tenu à l'acheter avec ses propres deniers… par principe. Et, par défi, elle l'avait choisi chez un grand couturier. Elle n'avait même pas cillé quand on lui en avait annoncé le prix. Et pourtant cette somme représentait une bonne partie des économies qu'elle avait patiemment amassées au cours des ans.

Pour ses chaussures et son sac, elle s'était contentée d'utiliser l'une des cartes de crédit que Dio lui avait données. Ce dernier avait voulu que quelqu'un la conduise à l'autel, mais elle avait refusé.

— Je suis une femme moderne. Au diable les traditions ! Au diable les conventions !

Seule, elle avait donc remonté l'allée centrale de l'église. Dio l'attendait devant le chœur, superbe dans son costume en fil à fil gris foncé de grand faiseur.

Eleanor s'était efforcée de ne regarder personne pendant sa marche solitaire. Malgré tout, elle n'avait pu s'empêcher de remarquer que, si elle n'avait convié que quelques amis proches, il y avait, du côté de Dio, une véritable marée humaine...

La cérémonie, très émouvante, se déroula dans la plus grande simplicité. Quand Dio lui passa à l'annulaire gauche une étroite alliance en or, Eleanor sentit son cœur battre la chamade, tandis que, intérieurement, elle promettait de faire tout ce qui était en son pouvoir pour le rendre heureux.

En cet instant, elle était bien loin de penser à Helena Teriakos. Aussi, quelle ne fut pas sa stupeur lorsqu'ils sortirent de l'église et qu'elle vit cette dernière s'approcher d'eux !

Vêtue d'un tailleur blanc, une orchidée à la boutonnière, la jeune femme leur prit les mains dans un élan qui semblait venu du fond du cœur.

— Je suis si heureuse pour vous deux, déclara-t-elle avec un sourire triste.

Puis elle ajouta, se tournant vers Eleanor :

— Excusez-moi, mais j'ai quelque chose d'important à dire à Dio.

Et, d'autorité, elle entraîna ce dernier à quelques pas. Si bien que, morte de honte, la mariée se retrouva seule sous le porche de l'église.

Plusieurs minutes s'écoulèrent. Là-bas, Dio discutait toujours à mi-voix avec Helena. Elle levait les yeux vers lui d'un air adorateur... et affectait une expression tellement vulnérable !

Lorsqu'elle vit le photographe prendre quelques clichés du couple, Eleanor crispa les poings. Dans ce tailleur immaculé, Helena Teriakos ressemblait à une jeune mariée.

Eleanor n'avait pas oublié la menace de celle qu'elle considérait comme sa rivale :

— Je peux être une ennemie redoutable !

Quand Dio la rejoignit enfin en haut des marches, Eleanor chuchota :

— Elle l'a fait exprès !

Il fit mine de ne pas comprendre.

— Qui ?

Comment pouvait-il avoir l'esprit aussi obtus ? Eleanor était tellement furieuse qu'elle aurait volontiers secoué sans merci celui qui venait de devenir son mari.

— Qui ? Helena, bien évidemment !

Il prit une profonde inspiration avant de déclarer très bas, mais d'une voix glaciale :

— Ecoute-moi bien, Eleanor, parce que je n'ai pas l'intention de le répéter deux fois : Helena sera toujours mon amie. Une amie très proche.

Presque menaçant, il demanda :

— Est-ce compris ?

— Oh, parfaitement !

— J'ajouterai que je ne te permettrai pas de dire en public la moindre parole risquant de m'embarrasser ou de l'embarrasser. C'est mon dernier mot à ce sujet.

Là-dessus, il lui tourna le dos pour s'entretenir avec Nathan Parkes, son témoin. Submergée de colère, Eleanor crispa les poings. Comment Dio osait-il lui parler sur ce ton ? On aurait cru qu'il venait de gronder une enfant mal élevée !

A peine lui avait-il passé la bague au doigt qu'il se comportait en tyran. Il n'avait donc pas remarqué que l'intervention d'Helena, juste au moment où l'on prenait les photos, était parfaitement déplacée ?

Elle le saisit par le bras.

— Tu n'as pas le droit de me parler comme ça !

— Non ? Je vois que tu as encore beaucoup à apprendre au sujet des Grecs !

Meg Bucknall surgit devant eux, brandissant un appareil photo.

— Un sourire !

Après avoir pris quelques clichés, elle s'écria avec enthousiasme :

— Tu es superbe, Eleanor ! Comme c'est gentil de ta part de m'avoir invitée à ton mariage !

— Tout le plaisir est pour nous, madame Bucknall, assura Dio courtoisement.

Un peu plus tard, en s'installant avec Dio dans la limousine qui allait les conduire au Savoy, où devait se tenir la réception, Eleanor déclara :

— Je me faisais une joie de cette journée. Maintenant, je la vois seulement comme une corvée.

— Tout ça parce que je t'ai dit que tes réactions étaient disproportionnées ! Il faut que tu te fasses une raison : chaque fois que tu auras tort, chaque fois que tu dépasseras les bornes, j'y mettrai le holà.

Justement, elle n'avait pas tort ! Mais à quoi bon protester ? Dio était tellement convaincu de son bon droit que cela ne servirait à rien. Mieux valait changer de sujet de conversation.

— Je ne m'attendais pas qu'il y ait autant de monde. Je ne connais personne…

Elle haussa les épaules.

— Je suppose que tous ces gens-là s'attendaient que tu épouses Helena ! Ils doivent être en train de se demander pourquoi c'est moi que tu as choisie à la dernière minute. Et ils ont sûrement déjà deviné les raisons de ce mariage précipité.

Elle laissa échapper un petit soupir.

— Pardonne-moi, je suis un peu énervée. Il ne faut pas m'en vouloir : je me sens plutôt mal à l'aise devant tous ces regards curieux…

Dio lui prit la main et la porta à ses lèvres.

— Je suis fier que tu portes mon bébé.

A ces mots, l'anxiété d'Eleanor se dissipa. Elle sourit, tout à son nouveau bonheur.

— Je m'en veux d'avoir fait preuve d'une telle susceptibilité, murmura-t-elle. Je ne suis pas tout à fait dans mon état normal aujourd'hui.

Dio déposa un autre baiser au creux de sa paume.

— Pauvre petite Eleanor ! Quand je pense que tu n'as même pas le soutien d'une famille un jour pareil…

Dans ses prunelles, il n'y avait plus qu'une infinie douceur. Et elle se sentit aussitôt rassurée, apaisée.

Il l'attira contre lui.

— As-tu déjà fait l'amour dans une limousine aux vitres teintées ?

Elle laissa échapper un rire d'autodérision.

— Tant de fois que je ne les compte plus !

Amusé, Dio proposa :

— Que dirais-tu d'une occasion supplémentaire ?

— Non, merci. Tu me vois arrivant au Savoy décoiffée et à moitié déshabillée ?

Il éclata de rire.

— Alors là, plus personne ne se poserait de questions au sujet des raisons qui m'ont poussé à t'épouser !

Un peu plus tard, ce fut côte à côte qu'ils accueillirent leurs invités dans les salons du palace. Bien déterminée à faire bonne figure, Eleanor adressa un grand sourire à Helena. Il en fallait davantage pour déconcerter cette dernière, qui vint l'embrasser gentiment sur la joue. Puis, après avoir échangé quelques banalités avec Dio, Helena s'était éloignée à pas lents, très droite, très digne — et plus sûre d'elle que jamais.

Le sourire d'Eleanor disparut. Dio, qui observait son visage expressif, lui pressa la main.

— C'est dur pour elle. Imagine un peu !

Eleanor se contenta de hocher la tête. Dio ne l'avait pas réprimandée, cette fois... Et pourtant elle avait eu l'impression que, en son for intérieur, il lui faisait des reproches ! C'était d'autant plus injuste qu'elle avait fait son possible pour ne pas manifester d'animosité envers Helena.

Sur ces entrefaites, Nathan Parkes vint lui présenter sa femme, Sally. Cette petite rousse pleine de vie déclara d'un ton plein de chaleur :

— J'avais envie de vous passer un petit coup de fil avant le mariage, mais je n'ai pas osé !

Eleanor qui, d'emblée, avait trouvé Sally fort sympathique, répondit avec sincérité :

— Pourquoi ? Cela m'aurait fait plaisir !

— Oh non, vous avez dû être tellement occupée ces derniers temps !

Eleanor se rendait compte que Nathan Parkes et Dio se connaissaient de longue date. Bien plus, en tout cas, qu'elle ne l'avait imaginé lors de sa première visite à l'obstétricien.

Avec enthousiasme, Sally lança :

— J'espère que nous deviendrons amies. Je suis vraiment très contente que vous soyez… comme vous êtes ! J'avais peur que vous ne ressembliez à…

Visiblement gênée d'avoir parlé sans réfléchir, elle s'interrompit tout à coup.

Nathan vint au secours de sa femme.

— Ce que voulait dire Sally, c'est qu'elle espère que vous viendrez passer tous les deux un week-end avec nous à la campagne. Mais il faut que vous soyez prévenue de ce qui vous attend : une cour souvent boueuse, trois enfants bruyants et un chien tout fou !

— De plus, je ne suis pas un cordon-bleu, renchérit Sally, reconnaissante à son mari d'être venu à son secours alors qu'elle était sur le point de gaffer.

— Oh, je ne suis pas difficile ! s'exclama Eleanor en riant. Si vous voulez, on préparera les repas ensemble.

Dio lui adressa un regard stupéfait.

— Tu sais faire la cuisine ?

Nathan éclata de rire.

— Il faut absolument que je vous raconte une anecdote, Eleanor : figurez-vous que la première fois que Dio est venu nous rendre visite, il a appris comment mettre une bouilloire sur le gaz. Il n'avait encore jamais fait chauffer d'eau de sa vie !

L'hilarité fut alors générale.

— Ils sont charmants, dit Eleanor à Dio cinq minutes plus tard. Tu connais Nathan depuis longtemps ?

— J'avais dix-neuf ans quand j'ai eu un accident de voiture sans gravité. Je m'en suis tiré avec quelques points de suture. Nathan, qui était alors interne en médecine aux urgences, s'est chargé de cette grave opération…

Il esquissa un petit sourire.

— Mon père est arrivé toutes affaires cessantes à Londres et l'a traité comme s'il m'avait sauvé la vie !

A mi-voix, il enchaîna :

— Quel dommage que tu n'aies pas pu connaître mon père !

— Cela vaut sans doute mieux. Il n'aurait probablement jamais voulu que tu épouses quelqu'un comme moi.

— Quelqu'un comme toi ? répéta Dio en fronçant les sourcils. Que veux-tu dire par là ?

— C'est mon complexe de Cendrillon…

Et, le menaçant du doigt, elle ajouta :

— Mais n'en déduis pas que tu es mon prince charmant ! Tu n'es que l'empoté qui ne savait pas mettre de l'eau à bouillir… Moi, à sept ans, j'étais capable de faire du thé !

— Tu as été indépendante si tôt ! C'est pour cela que tu n'as pas l'habitude de compter sur les autres.

— Une vieille habitude… La plupart des gens sur lesquels j'ai essayé de m'appuyer ne se sont pas montrés spécialement dignes de confiance. Mon père, ma mère, M. Barry…

— Si tu dois faire confiance à quelqu'un, *paidi mou*, que ce soit à moi, au moins !

Ah, cela lui allait bien de parler ainsi, alors que *lui* n'avait aucune confiance en elle !

Quelques heures plus tard, dans la suite que l'on avait mise à sa disposition pour qu'elle puisse se changer, Eleanor troqua son ensemble en crêpe crème contre une tenue de voyage en loden.

En choisissant ce tailleur classique, orné de boutons dorés, elle avait cherché à paraître plus âgée. Mais elle devait admettre que ce style un peu « dame » n'était pas du tout le sien…

Elle ne tarda pas à rejoindre Dio dans les salons, son bouquet de mariée à la main.

— Tu as voulu te vieillir, devina-t-il, amusé. Mais on ne te donnerait pas plus de dix-huit ans ! Bon, maintenant, il faut que tu jettes ton bouquet dans la foule…

— Non.

— C'est la coutume ! Celle qui l'attrapera sera la prochaine à se marier…

Elle crispa les mains sur le ruban qui entourait les fleurs. Et si c'était Helena qui s'en emparait ? Quel mauvais présage ce serait !

— Non, répéta-t-elle avec entêtement. Je le ferai sécher, je l'encadrerai, je le mettrai sous globe ; je veux le garder, un point c'est tout.

Dio se trouva bien vite entouré par de nombreux amis qui souhaitaient lui faire leurs adieux.

Eleanor, qui se trouva momentanément séparée de lui, put l'observer de loin. En le voyant aussi heureux et détendu, elle se sentit envahie d'une joie sans mélange.

Ce fut à ce moment-là que la voix méprisante d'Helena retentit derrière elle :

— Je vous plains... Si vous croyez qu'on retient longtemps un homme par les sens ! Au lit, vous êtes peut-être sensationnelle, mais en dehors de la chambre, qu'avez-vous à lui offrir ? Rien !

Elle ricana.

— Croyez-moi, ce mariage ne va pas durer longtemps !

Quelques instants plus tôt, Eleanor se sentait submergée de bonheur. Elle avait l'impression de planer sur un nuage rose, lumineux. Hélas, quelques mots venimeux avaient suffi pour que ce rose se transforme en gris !

Lorsqu'elle trouva enfin le courage de se retourner, Helena était déjà en train de discuter avec un couple d'un certain âge.

Sally, qui se trouvait tout près, semblait médusée.

— Je venais vous dire au revoir. Ai-je vraiment entendu... ce que j'ai entendu ? demanda-t-elle avec incrédulité.

D'un air désabusé, Eleanor haussa les épaules.

— Hélas ! fit-elle seulement.

— Quelle vipère ! Il faut aller tout de suite raconter ça à Dio.

— Inutile de faire un drame maintenant.

D'autant plus que Dio refuserait certainement de croire sa chère Helena coupable de méchanceté !

Eleanor s'efforça de sourire.

— Elle m'en veut ! N'est-ce pas normal ? Je lui ai pris celui qu'elle considérait comme son fiancé.

— Vous voulez rire ? Si elle avait trouvé un homme encore plus riche, elle l'aurait immédiatement épousé.

Sally secoua la tête.

— Honnêtement, je n'en reviens pas ! Elle est tout miel dès que Dio apparaît. Mais par-derrière… Il faudrait ouvrir les yeux à votre mari ! Ah, il l'a échappé belle ! Quand je pense qu'il aurait pu avoir une femme pareille — un glaçon doublé d'une terrible snob ! Vous savez, elle nous a toujours méprisés ouvertement, Nathan et moi. Elle estime que nous sommes tout juste bons à cirer ses chaussures…

— De qui parlez-vous donc, Sally ? demanda Dio avec amusement.

Il venait de les rejoindre et avait entendu les derniers mots de la jeune femme. Pour empêcher cette dernière d'en dire trop, Eleanor porta la main à son front.

— Je ne me sens pas très bien. Ça tourne un peu…

Il n'en fallut pas davantage pour que Dio l'emmène jusqu'à la limousine qui attendait dehors, en l'entourant d'autant d'égards que si elle était centenaire.

— C'était trop pour toi, déclara-t-il d'un air soucieux. Je n'aurais jamais dû inviter tant de monde.

— Je ne suis pas malade ! protesta-t-elle. Seulement enceinte…

Sans lui laisser le loisir de continuer, Dio l'attira contre lui. Et dès que leurs lèvres se rencontrèrent, elle oublia le regard froid d'Helena, ses paroles fielleuses. Rien n'importait plus que ce moment, passé dans les bras de son mari.

Pour leur voyage de noces, il était prévu qu'ils passent une quinzaine de jours sur l'île de Chindos. Après avoir quitté l'hôtel, la limousine arriva rapidement à l'aéroport.

Lorsque le jet privé eut décollé, Dio obligea Eleanor à s'allonger.

— Tâche de dormir. Tu as l'air épuisée.

— Mais non…

Elle se blottit contre lui.

— C'est ma nuit de noces…

Dio eut un petit rire.

— Ce que tu peux être enfant, parfois. Ecoute, il ne fait pas encore nuit : profites-en pour te reposer. Ta nuit de noces, tu l'auras sur l'île.

Sur ces mots, il lui effleura les lèvres d'un léger baiser avant de quitter la cabine.

Eleanor ferma les yeux et, presque immédiatement, s'endormit d'un sommeil de plomb.

Lorsqu'elle se réveilla, elle sentit la chaleur du corps de Dio près du sien. A mi-chemin entre rêve et réalité, elle se pressa encore un peu plus contre lui, persuadée qu'ils étaient allongés l'un contre l'autre.

Puis quelque chose lui parut anormal et elle souleva les paupières.

— Où sommes-nous ? demanda-t-elle avec stupeur.

Il éclata de rire.

— Tu as plutôt bien dormi. Quand je pense que tu soutenais mordicus ne pas être fatiguée !

Ils étaient arrivés à Chindos ! Eleanor se trouvait dans les bras de Dio qui se dirigeait vers la grande villa blanche.

Elle voulut se mettre debout.

— Je peux marcher, quand même !

— Non. Tes chaussures sont restées dans le jet.

— On a pris un hélicoptère pour venir ici ?

— Il l'a bien fallu. Tu sais bien que le jet ne peut pas atterrir à Chindos.

— Comment as-tu fait pour changer de terminal à l'aéroport ?

— Je t'ai portée… Et, selon la tradition, nous franchirons ainsi le seuil de la villa. Heureusement que tu es plus petite qu'Helena ! Tu pèses sûrement moins qu'elle.

Quelle étrange comparaison ! Pourquoi Dio avait-il éprouvé le besoin de dire cela ? Il manquait totalement de tact.

Conscient d'avoir gaffé, il jura entre ses dents.

— C'est naturel que tu parles ainsi, murmura Eleanor avec un sourire forcé. Depuis des années, elle a tenu tant de place dans ta vie…

Avant de gravir le perron de l'imposante villa. Dio jura de nouveau.

— Figure-toi que, jusqu'à ce que je fasse ta connaissance, j'étais persuadé d'être un fin diplomate !

— C'était du moins ce que te faisaient croire les courtisans obséquieux qui t'entourent.

— Tu es impossible ! s'exclama-t-il avec amusement. Mais désolé, cela n'a rien à voir. Avec toi, je baisse la garde, je parle sans réfléchir…

— Cela vaut mieux, non ? lança Eleanor d'un ton léger.

Pas toujours, à vrai dire, car elle aurait préféré qu'il évite de la comparer à Helena le jour de ses noces !

Lorsqu'ils pénétrèrent dans le hall, deux vieilles dames vêtues de noir s'avancèrent vers eux.

Dio remit enfin Eleanor sur ses pieds.

— Tiens, nous avons de la visite !

Après avoir embrassé chaleureusement les deux vieilles dames, il leur présenta Eleanor.

— Voici les sœurs jumelles de ma grand-mère, Polly et Lefki.

Dans un assez mauvais anglais, les deux vieilles dames lui souhaitèrent la bienvenue.

— Puisque la mère de Dio n'est plus là, nous avons jugé de notre devoir de venir vous accueillir dans votre nouvelle maison, déclara Polly.

— Votre nouvelle maison, fit Lefki en écho.

— C'est très gentil de votre part, dit Eleanor avec un sourire chaleureux, avant de les embrasser l'une après l'autre.

— Mais nous n'allons pas nous attarder, reprit Lefki. Les amoureux ont besoin d'être seuls…

— Vous allez quand même dîner avec nous, proposa Dio.

Elles hésitèrent, se consultant du regard.

— Oui, insista Eleanor. Dînez avec nous, cela nous ferait tellement plaisir !

Au cours du repas, elle apprit que les deux vieilles dames étaient nées sur l'île de Chindos et ne l'avaient jamais quittée.

Elles partirent enfin dans une vieille Rolls Royce que conduisait un chauffeur qui semblait aussi âgé qu'elles.

— Elles sont adorables ! s'exclama Eleanor. Et comme elles t'aiment…

— Je les aime beaucoup, moi aussi.

— Quel âge ont-elles ?

— Quatre-vingt-douze ans.

Dio la prit par les épaules en souriant.

— Je suis content que tu aies trouvé sympathiques ces vieilles demoiselles inséparables.

Il l'entraîna vers le monumental escalier avant de l'emmener dans une immense chambre meublée avec la même opulence que le reste de la villa.

En voyant le large lit à baldaquin qui trônait au milieu de la pièce, Eleanor sentit son désir monter. Puis elle se souvint des paroles cruelles d'Helena, et elle eut un mouvement de recul.

Prise d'une soudaine timidité, elle murmura :

— Je… je prendrais bien une douche.

— Moi aussi. Laisse-moi te déshabiller…

— Dio… non !

— Pourquoi cette soudaine pudeur ? s'étonna-t-il en caressant ses seins déjà plus lourds.

— Je… euh…

— Tu es si belle ! Tu es parfaite.

Avec une pointe d'angoisse, elle songea que la grossesse modifierait vite sa silhouette. Dio la trouverait-il encore belle à ce moment-là ?

Elle oublia ses inquiétudes en se retrouvant dans une salle de bains tout en marbre, sous une douche dont les jets d'eau tiède semblaient venir de partout à la fois.

Dio l'attira contre lui.

— Viens…, fit-il d'une voix rauque.

Incapable de résister plus longtemps au désir impétueux qui l'envahissait, elle s'arqua contre lui.

Comme elle le voulait ! En cet instant, comme hier, comme demain. Dans ce grand lit à baldaquin, sur la couchette du jet, dans la limousine… et même sous la douche, s'il le souhaitait.

— Tu me rends fou, murmura Dio.

Un peu plus tard, leurs sens enfin apaisés, ils se séchèrent mutuellement à l'aide d'immenses serviettes-éponges d'une blancheur immaculée.

Dio lui effleura les lèvres d'un baiser.

— Surtout, ne raconte jamais à personne que nous avons passé notre nuit de noces sous la douche ! J'en mourrais de honte !

— Pourquoi ? s'étonna-t-elle.

Il la porta sur le lit.

— Parce que, madame Alexiakis, j'aurais dû me montrer un peu plus romantique ce soir ! Après tout, c'est notre nuit de noces…

Il l'étreignit.

— Mais tu étais si belle ! Comment aurais-je pu attendre ?

Elle eut un rire indulgent et il resserra encore son étreinte.

— C'est bien, que nous puissions rire ensemble.

Elle se blottit contre lui. En cet instant, elle se sentait intensément, follement heureuse. Et elle ne craignait rien ni personne. Pas même Helena Teriakos ! Dio ne venait-il pas de lui démontrer qu'il ne tenait pas seulement au bébé, mais qu'il tenait aussi à elle ? Un peu, tout au moins…

Le lendemain matin, ce fut une femme de chambre qui la réveilla en apportant le petit déjeuner. Il était déjà tard et Dio s'était levé sans faire de bruit.

Adossée aux oreillers, Eleanor avait l'impression d'être une reine. Un plateau d'argent, de la fine porcelaine, des croissants dorés à point, légers comme un souffle, une rose dans un soliflore en cristal… et un homme passionné : qu'aurait-elle pu demander de plus ?

Après avoir pris son petit déjeuner, elle s'empressa de se préparer. Quelques jours auparavant, elle avait acheté plusieurs tenues estivales. Ce matin-là, elle choisit de porter une robe-chemise d'une simplicité exquise en toile d'un vert amande très pâle. Une robe qu'elle pourrait toujours mettre dans deux ou trois mois, une fois que sa grossesse deviendrait visible.

En descendant cet escalier digne d'un palais, elle entendit la voix furibonde de Dio. Un jeune homme en costume cravate déboula d'une pièce située au fond du hall.

Il sursauta en la voyant et lui adressa un rapide salut en grec avant de partir à toute allure.

Guidée par le son de la voix de Dio, Eleanor entra dans un bureau dont les fenêtres donnaient sur une pelouse de plusieurs hectares qui descendait en pente douce vers la mer.

Vêtu d'une chemise en lin grège et d'un pantalon assorti, Dio était au téléphone. Il parlait en grec et semblait absolument furieux.

En même temps, il parut tellement séduisant à Eleanor qu'elle s'arrêta sur le seuil, le souffle coupé, résistant à grand-peine à l'envie de se jeter dans ses bras.

Dio donna un coup de pied dans le journal qui gisait sur le sol. Un quotidien à scandale britannique, remarqua-t-elle.

Sa curiosité éveillée, elle se baissa pour s'en emparer. Dio s'aperçut de sa présence à ce moment-là et parut déconcerté.

— Que fais-tu ici ?

— La porte était ouverte. J'ai entendu ta voix et… Oh, mon Dieu !

En première page, elle vit une photo de leur mariage. Puis une autre photo de Dio avec Helena dans son ensemble blanc… Et ensuite deux autres, plus petites. L'une représentait la mère d'Eleanor, souriante. L'autre, son père, Tony Maynard. Ce dernier sortait de sa Mercedes et se dirigeait vers le photographe en crispant les poings d'un air meurtrier.

Son père ! Un père qu'elle n'avait pas vu depuis seize ans ! Le père qui avait refusé de lui donner son nom…

Le titre de l'article s'imposa à elle :

« De la misère la plus noire à la richesse la plus folle. Et comment ? Grâce à un bébé ! Un bébé déjà multimilliardaire ! »

— Ne lis pas ce torchon ! s'écria Dio.

Mais Eleanor ne pouvait pas en détacher ses yeux. Sur un autre cliché, elle reconnut la rue pauvre où elle avait grandi. Toute son existence se trouvait étalée au grand jour, aux yeux de centaines de milliers de lecteurs.

Une nausée l'envahit. Ses mains se mirent à trembler et elle laissa tomber le journal.

— Oh, non ! gémit-elle.

9.

— Ce n'est pas ainsi que je souhaitais annoncer la naissance de notre premier enfant, déclara Dio d'un air sombre.

— Je… je m'en doute.

Visiblement réprobateur, il poursuivit :

— Mais si tu m'avais parlé de tous les scandales qui émaillaient ton passé, j'aurais pu m'arranger pour cacher certaines preuves et te protéger.

Au fur et à mesure qu'elle lisait les colonnes qui lui étaient consacrées, Eleanor comprit mieux la colère froide de son mari. Ce qu'on racontait là était odieux ! On la décrivait comme une aventurière sans scrupule qui avait saisi l'occasion de se faire épouser par un homme riche.

Qui s'était donné la peine de fouiller dans son passé pour l'exposer avec un étonnant luxe de détails… et un tel fatras de mensonges ? Certes, il y avait dans tout cela un fond de vérité, mais il était enfoui sous une masse incroyable d'exagérations.

— Tout d'abord, reprit Dio, j'ignorais que ta mère et toi étiez pratiquement des parias dans la ville où tu as grandi !

— Les gens ont l'esprit très étroit dans ces petites villes. Il y existe une sorte de censure bien-pensante…

Eleanor soupira.

— Ma mère avait eu un enfant sans être mariée. Et tout le monde savait qui était mon père : un homme marié à une autre que les voisins voyaient venir à la maison quand ça lui chantait…

124

— Pourquoi ne m'as-tu pas dit qu'il avait rompu avec ta mère dès qu'il est devenu veuf ?

Eleanor pensa à sa pauvre mère qui s'était alors imaginé que tout allait rentrer dans l'ordre… après seize ans d'une vie passée dans l'ombre !

— Et qu'il avait épousé sa secrétaire ? demanda encore Dio.

Il eut un geste agacé.

— Dis quelque chose, enfin !

— Je… je n'aime pas parler de tout cela, murmura-t-elle, tête basse. Maman ignorait qu'il y avait une troisième femme dans la vie de mon père. Elle l'a appris en lisant l'annonce du mariage dans le journal local et cela l'a complètement démolie.

— Tu aurais pu me dire aussi qu'elle s'était suicidée.

Cette fois, Eleanor protesta avec vigueur :

— Non ! Elle ne s'est pas suicidée ! Mais elle prenait des antidépresseurs et était parfois dans un état second. Elle n'a pas fait attention en traversant la rue et… et elle s'est fait renverser par une voiture.

— A l'époque, tu n'avais que seize ans. Comment t'es-tu débrouillée ?

— Mon père a chargé son notaire de s'occuper de l'enterrement. Bien sûr, il n'y a pas assisté…

— Et alors, pourquoi as-tu quitté le lycée ?

— Je n'avais pas le choix !

— Ton père n'a pas insisté pour que tu termines tes études ?

— Pourquoi se serait-il occupé de cela ? Pour lui, je ne comptais pas. Il n'avait jamais voulu admettre mon existence.

Les questions de Dio continuaient à fuser :

— Qu'as-tu fait après la mort de ta mère ?

— J'ai annoncé au propriétaire de l'appartement que je partais. J'ai vendu tout ce que nous possédions à un brocanteur et je suis partie à Londres. J'ai trouvé une chambre chez une vieille dame, en échange de quelques heures de ménage. Puis M. Barry m'a engagée à l'essai. Quand il a estimé que je faisais l'affaire, il m'a proposé le petit appartement au-dessus de la librairie.

Elle se tordit les mains avec nervosité.

— Pourquoi m'obliges-tu à évoquer tous ces moments pénibles ? Je t'en ai déjà touché un mot, en évitant d'entrer dans les détails. Mais je n'ai jamais cherché à travestir la vérité ! Jamais !

Dio s'avança vers elle, menaçant.

— Pourquoi je parle de ça ? gronda-t-il. Tout simplement pour éviter de parler d'autre chose ! Parce que si je m'écoutais, je… je t'étranglerais !

— Tu… tu es fou ! Qu'ai-je fait ?

— Tu me le demandes ?

Il redonna un coup de pied dans le journal.

— Tout ça, c'est ta faute ! N'attends pas que je te plaigne. C'est ton manque de discrétion qui nous a valu d'être en première page de ce torchon !

— Quoi ?

— Je me suis renseigné. Personne d'autre n'a pu parler… Nathan, qui sait que Sally est très bavarde, a évité de lui dire que tu étais enceinte.

Avec un rire sardonique, il l'interrogea :

— Et toi, à qui as-tu raconté que tu attendais un heureux événement ?

— A personne !

— A d'autres ! Il faut bien que tu aies mis quelqu'un au courant !

Eleanor se souvint alors que, pour se débarrasser de Ricky Bolton, elle lui avait confié son secret…

Dio la fixait comme un aigle prêt à fondre sur sa proie.

— Alors ? A qui ? insista-t-il.

Les pensées se bousculaient dans l'esprit enfiévré d'Eleanor. Soit, Ricky savait qu'elle était enceinte, mais il ignorait tout de son passé. Par conséquent…

Soudain, elle eut une illumination.

— Je sais qui est responsable de tout cela : Helena !

Il y eut un silence de mort. Puis Dio haussa les épaules avec lassitude.

— J'aurais dû m'en douter ! Il faut que tu accuses cette pauvre Helena de tous les péchés du monde !

— Ça ne peut être qu'elle. Elle a fait des recherches, elle sait tout de moi…

Il leva les yeux au ciel.

— Cette fois, la jalousie te fait vraiment perdre la tête !

— Jalouse, moi ? En ce moment, sûrement pas. Tu es tellement odieux que si ta chère Helena arrivait, je lui dirais : « Prenez-le ! Il est à vous ! »

Les premiers moments de stupeur et de désarroi passés, c'était une colère sourde qui l'envahissait.

— J'en ai assez de toi et de cette vipère. Je m'en vais !

— Désolé. Tu es ma femme et tu resteras ici, sur cette île. Et tant que tu auras cette attitude envers Helena, tu n'en bougeras pas. Compris ? Tu ne sais plus ce que tu dis quand il s'agit d'elle, la rage t'emporte…

Il la toisa avec mépris.

— Mais regarde-toi ! Tu trépignes !

— Etant donné les circonstances, à quoi t'attends-tu ?

— Arrête de t'agiter. Ce n'est pas bon pour le bébé.

Soudain, il changea d'attitude.

— Suis-je bête ! Evidemment, tout ça, c'est à cause du bébé ! Il paraît qu'une femme enceinte a des réactions émotionnelles différentes. Elle a besoin qu'on la traite avec douceur…

Eleanor était méduseée.

— Où as-tu lu ça ?

— Je me suis montré trop dur… Viens, il faut que tu te reposes.

Bon gré, mal gré, elle se retrouva sur un canapé. Dio, qui paraissait maintenant très mal à l'aise, s'assit à son côté.

— Il ne faut pas te brusquer en ce moment… La lecture de cet article t'a bouleversée. J'aurais dû me montrer plus compréhensif ; j'imagine sans peine tout ce que tu as pu endurer entre un père aussi égoïste et une mère aussi peu consciente des réalités. Mais quand tu as rendu Helena responsable de cette histoire, je me suis rendu compte que ça devenait ridicule. Nous allions trop loin !

— Si tu ne me fais pas confiance…

— Bien sûr que si, je te fais confiance.

Il leva la main dans un geste d'avertissement avant d'ajouter :

— A une exception près ! Et cette exception-là, je préfère que nous évitions désormais de la mentionner.

Eleanor s'efforça de se dominer. De toute manière, elle n'avait pas de preuves. Dans ces conditions, à quoi bon persister dans ses accusations ? A quoi bon parler encore d'Helena ? Cette dernière avait déjà bien avancé dans son entreprise de démolition.

« J'ai raison, je le sais, se dit-elle. Mais puisque Dio refuse de me croire... Autant ne pas insister. »

Ils s'étaient mariés la veille. Elle n'allait tout de même pas gâcher les premiers jours de leur lune de miel !

Dio désigna le journal d'un doigt vengeur.

— Je vais porter plainte. Ça leur coûtera cher ! J'ai déjà consulté mes avocats à ce sujet. Ils me disent que je peux attaquer.

— Ça servira à quoi ?

— Il ne faut pas se laisser faire, dans la vie. Je tiens à défendre ta réputation.

Il crispa les poings.

— Et je les obligerai à donner le nom de la personne qui est allée leur faire toutes ces révélations !

En l'entendant affirmer cela, Eleanor sentit l'espoir renaître. Cela ne dura pas...

— Les journalistes ne dévoilent jamais leurs sources, murmura-t-elle.

— Il existe des moyens pour obtenir la vérité.

Il posa la main sur la sienne.

— Comment te sens-tu ?

— Ça va. Je... je vais aller faire un tour.

— Je t'accompagne.

— Non. J'ai besoin d'être seule.

Il n'insista pas. Mais il paraissait vraiment déçu.

Eleanor prit le sentier qui menait au bungalow de la plage. Otant ses sandales, elle se mit à marcher sur le sable tiède, le long des vagues qui s'abattaient sans fin dans un bruit de soie qu'on déchire.

Un profond soupir gonfla sa poitrine.

Oui, ils s'étaient mariés seulement la veille ! Et Helena, fidèle à ses promesses, lui avait déjà fait beaucoup de mal.

Eleanor s'assit au bout de la plage, à l'ombre des rochers et, les yeux brouillés de larmes, contempla la ligne d'horizon.

Elle était toujours au même endroit quand, deux heures plus tard, Dio vint la retrouver avec un panier sous le bras.

— Le pique-nique de madame ! Il faut que tu manges, tu sais.

— Tu as lu ça dans ton livre ?

— J'ai envie d'être avec toi… Est-ce un crime ?

— Non. J'ai envie d'être avec toi aussi.

— Pas assez pour mettre ta fierté de côté et revenir de toi-même à la villa.

Elle se sentit rougir. Puis, avec une pointe d'impertinence, elle lança :

— Ça m'amuse de voir les hommes courir après moi.

Le premier instant de stupeur passé, Dio éclata de rire.

— C'est bien la première fois que j'entends une femme l'admettre !

— Je l'admets seulement parce que nous sommes mariés.

Soudain, son visage s'éclaira. Elle venait enfin de trouver la solution au problème qu'elle tournait et retournait dans son esprit depuis des heures !

Elle n'avait qu'à ignorer Helena, tout simplement !

« Je ne vais pas la laisser détruire notre couple », se dit-elle avec fermeté. « D'autant plus que Dio semble heureux et détendu avec moi. Il n'a pas l'air de regretter ce mariage forcé… Et il n'a pas l'air de regretter Helena non plus ! Dans ces conditions, pourquoi chercher midi à quatorze heures, comme aurait dit M. Barry ? »

— A quoi penses-tu ? demanda Dio.

— A toi.

Ce qui, dans un certain sens, était la vérité.

— Tu paraissais… hostile.

En songeant à Helena, vraisemblablement.

— Je me disais qu'un mariage réussi ne venait pas sur un plateau. Il fallait savoir faire des efforts, des concessions…

Là-dessus, elle se mit en devoir de déballer le panier de pique-nique, découvrant mille et une bonnes choses.

— J'ai eu tort de m'emporter au sujet de cet article sordide, déclara soudain Dio. Tu sais, il y a eu des scandales dans ma famille aussi… Mon grand-père a été déshérité — temporairement, heureusement ! — par mon arrière-grand-père le jour où il a épousé ma grand-mère.

— La sœur de Polly et de Lefki ? Pourquoi ?

— C'était l'une des rares habitantes qui vivaient sur l'île, avant que mon arrière-grand-père n'achète les derniers terrains qui ne lui appartenaient pas encore.

— Et alors ?

— Le père d'Adriana, de Polly et de Lefki était… gardien de chèvres.

La stupeur laissa Eleanor sans voix pendant quelques instants : elle n'avait pas oublié qu'elle avait traité Dio de gardien de chèvres analphabète !

Soudain, elle éclata de rire. Si fort qu'elle tomba à la renverse sur le sable.

— Pardon, Dio ! Mais c'est drôle, tellement drôle !

— Toi et le tact…, grommela-t-il avant de tomber à son tour sur le sable.

Il l'enlaça, puis leurs lèvres se rencontrèrent dans un baiser sans fin. Eleanor noua les bras autour du cou de Dio, se pressant passionnément contre lui.

— Tu as faim ? demanda-t-il d'une voix rauque.

— Surtout de toi…

*
* *

Après avoir jeté un coup d'œil au sauna et à la salle de gym du sous-sol de ce splendide hôtel particulier de Londres, Eleanor retourna admirer la piscine intérieure. Elle n'en croyait pas ses yeux.

— Incroyable, murmura-t-elle.

Dio la prit par la taille.

— Ça te plaît ?

— Incroyable, répéta-t-elle. C'est encore mieux que sur la cassette vidéo que l'agent immobilier nous a envoyée.

— Alors, on achète.

— Tu imagines ? Quelle maison formidable pour des enfants ! Un jardin, une piscine…

Elle hésita.

— Ce n'est pas seulement parce que je suis séduite que tu dois te rendre acquéreur de cet hôtel particulier. Il faut qu'il te plaise à toi aussi ! Donne-moi tes impressions.

— Il s'agit d'un bon investissement.

— Ce n'est pas une raison suffisante.

— L'adresse est excellente.

— Dio !

Il l'enlaça.

— Tu ne comprends pas que je te taquine ? Moi aussi, j'aime cette maison… Et elle va être à nous !

Main dans la main, ils regagnèrent la limousine qui les attendait devant la grille. Il y avait maintenant un mois qu'ils étaient mariés, et après avoir passé deux merveilleuses semaines à Chindos, ils étaient de retour à Londres.

Depuis un mois, il n'avait pas été une seule fois question d'Helena Teriakos. Eleanor était heureuse, merveilleusement, fabuleusement heureuse… Elle n'en revenait pas de sa chance ! N'avait-elle pas épousé le plus merveilleux des hommes ?

Parfois, elle se demandait comment elle avait pu se mettre dans un tel état à cause de celle qu'elle avait supplantée dans le cœur de Dio. N'avait-elle pas gagné la partie ? Et haut la main, encore !

Ce soir-là, Dio sortit de la salle de bains de leur appartement de Londres, une serviette négligemment nouée autour des hanches, les cheveux encore humides de la douche. Son visage était grave.

Eleanor, qui remarquait chaque changement d'humeur de l'homme qu'elle aimait, s'inquiéta aussitôt.

— Que se passe-t-il ?

— Oh, rien ! Mais je dois aller demain à Paris voir Helena. J'espère que ça ne va pas causer un drame !

Eleanor retint sa respiration.

— Tu…

— Depuis la mort de son père, je m'occupe de ses affaires.

— Je l'ignorais…

— Cela ne te concerne pas, pour la bonne raison que j'ai accepté de me charger de cette responsabilité longtemps avant notre rencontre. Tâche de te montrer un peu raisonnable, veux-tu ? Je serai obligé d'avoir régulièrement des entrevues avec elle.

Visiblement agacé, il conclut :

— C'est comme ça !

Puis, pour l'amadouer, il lui prit la main. Elle la lui reprit.

— Oh ! Tu ne peux pas te conduire en adulte ? s'écria-t-il. Je veux bien croire que tu ne te sentais pas très sûre de toi au début de notre mariage. Mais tu as eu le temps de t'habituer… De toute façon, tu n'as pas le choix.

— On a toujours le choix.

— Pas à ce sujet.

Et, d'un ton sans réplique, il martela :

— Je continuerai à m'occuper des affaires d'Helena tant qu'elle le souhaitera. Je continuerai à la voir car c'est une amie de toujours. Quant à toi, tu n'as rien d'autre à faire qu'à accepter la situation.

Eleanor se leva d'un bond.

— Eh bien, non, je ne l'accepte pas ! Tu refuses donc de croire que ta chère Helena m'a menacée ? Qu'elle a voulu me donner de l'agent pour que j'avorte ?

Dio rejeta ses cheveux en arrière dans un geste las.

— Je t'en prie ! Ne reviens pas sur cette histoire à dormir debout !

— Tu ne me crois pas. Très bien… Alors tu aurais épousé une menteuse ?

— Une bien jolie menteuse…

— Ne tourne pas ça en plaisanterie. Je te préviens : si tu vas à Paris demain, je te quitte.

— Tu ne vas pas me…

— Si.

Avec une infinie amertume, Eleanor poursuivit :

— C'est sa parole contre la mienne. Tu préfères la croire, elle… Puisque c'est ainsi, je m'en vais ! Je ne veux plus de toi.

Dio se raidit.

— Apprends que lorsqu'on ne veut pas de moi, je ne suis pas homme à m'imposer.

Sur ce, il se dirigea vers la porte à grandes enjambées. Il était déjà dans le couloir lorsqu'il se retourna avec brusquerie.

— J'en ai assez de tes caprices, lança-t-il. Fais comme tu veux. Moi, je pars demain pour Paris et j'y resterai autant de temps que ça me plaira.

Eleanor se plia en deux, comme sous l'effet d'un coup. Cela lui faisait tellement mal d'entendre son mari parler ainsi !

— Dio, je t'en prie, écoute-moi…

— Non, écoute-moi, toi ! s'écria-t-il avec colère. Tu ne vas tout de même pas faire la loi ici. J'ai l'habitude d'aller où je veux et avec qui je veux… Pas question que tu me dictes mon emploi du temps ! Et quoi encore ?

Il croisa les bras.

— Quand tu sauras dominer cette jalousie maladive, tu me donneras un coup de fil. Mais je te préviens, si tu attends trop longtemps, tu risques de ne plus me trouver !

Sous l'empire de la colère, il lança une dernière pique :

— Sache qu'Helena possède des qualités que tu n'as pas.

En voyant Eleanor pâlir, il jura. Puis il fit un mouvement vers elle, mais elle fut la plus rapide. Elle claqua la porte et ferma le verrou.

— Ouvre ! cria-t-il.

Elle alla se réfugier dans le grand lit. En larmes, elle se recroquevilla sur elle-même.

Des qualités que tu n'as pas… Ces mots ne cessaient de résonner à ses oreilles. Dans sa rage, Dio lui avait dévoilé la vérité : il pensait sans arrêt à Helena et ne cessait de faire des comparaisons.

Tout comme Dio, Helena venait d'une vieille famille aristocratique grecque. Elle avait des relations, elle était riche, cultivée, intelligente, élégante… Dio l'admirait, la respectait. Il aurait été fier d'avoir une épouse de cette classe à ses côtés.

Tandis qu'elle-même, qu'avait-elle à lui apporter ?

Incapable de répondre à cette question, elle sentit les sanglots l'étouffer de nouveau.

10.

Le visage anxieux de Sally Parkes s'éclaira quand elle vit Eleanor s'approcher.

— J'avais peur que vous ne veniez pas.

Eleanor s'assit à côté d'elle, sur l'un des bancs de ce parc tranquille.

— Je vous l'avais promis… Ça ne vous a pas trop ennuyée de transmettre mon message à Dio ?

— Si les amies n'étaient pas là pour rendre service !

— Je me demandais comment le contacter. Lui écrire ? Je n'aurais pas su quoi lui dire. Je ne voulais pas lui téléphoner non plus…

— Il est dans un état !

— Mon message a dû le rassurer.

— Si vous croyez que ça l'a calmé d'apprendre que vous alliez bien et que vous vouliez divorcer !

— C'est la meilleure solution. La seule, à mon avis… Où est-il ? Toujours à Paris ?

— Il a passé des jours à vous chercher partout. Sans résultat ! Puis un soir, pour noyer son chagrin, il s'est mis à boire. Il est arrivé à la maison complètement ivre… Jamais, de ma vie, je n'aurais imaginé voir Dio ainsi ! Nathan a dû le traîner dans la chambre d'amis.

Eleanor haussa les épaules d'un air sceptique.

— Mon départ n'était sûrement pas la cause de son chagrin.

— C'est pourtant le cas. Il est devenu comme fou quand il a trouvé votre petit mot, le lendemain matin.

— J'étais partie sans faire de bruit pendant la nuit… Mais je suppose que ça ne l'a pas empêché de s'envoler pour Paris ! fit Eleanor avec amertume.

— Si, justement ! Vous savez, même un macho entêté comme Dio éprouve des sentiments.

— Vous prenez son parti parce que vous ne connaissez pas la situation…

Puis, après une pause, elle ajouta :

— Vous me disiez qu'il m'a cherchée pendant des jours ?

— Pendant toute une semaine. Et la seconde semaine, il s'est mis à boire.

— Lui ? Ce n'est pas possible !

— Il était littéralement effondré… Je peux vous parler franchement, Eleanor ?

Faisant les questions et les réponses, Sally poursuivit :

— Je ne me permettrai pas de juger : on ne sait jamais ce qui se passe dans les couples. Qu'on veuille quitter un homme, soit ! Mais on y met quand même les formes !

— Je l'avais prévenu.

— Je ne comprends pas… Je vous croyais follement amoureuse. Le jour de votre mariage, vous aviez l'air de planer sur un petit nuage. Quand vous êtes revenus de Chindos, et que nous avons déjeuné tous les quatre ensemble, vous étiez rayonnante.

— Je suis toujours follement amoureuse.

Sidérée, Sally demeura sans voix pendant quelques instants.

— Alors pourquoi le traitez-vous ainsi ?

A ce moment, la voix de Dio résonna derrière elles :

— Je suppose que tu lui as tout raconté, Sally ? La traque dans tout Londres, le désespoir, le whisky…

Les deux jeunes femmes se retournèrent du même mouvement. Eleanor était aussi pâle que Sally était rouge.

— Vous m'avez suivie ! lança cette dernière.

— J'étais prêt à tout pour retrouver Eleanor.

Sally se leva d'un bond.

— Je n'aime pas ces façons de procéder.

— Il ne faut pas m'en vouloir. Il y a des moments où l'on est prêt à tout pour essayer de comprendre.

— Je suppose qu'il ne me reste plus qu'à vous laisser vous expliquer ? fit Sally.

Sans attendre une réponse, elle se leva. Après avoir fait quelques pas, elle lança :

— Un conseil, quand même : tâchez de mettre votre orgueil de côté, tous les deux !

Sur ces mots, elle s'éloigna.

Le cœur battant à tout rompre, ses immenses yeux émeraude encore agrandis dans son visage couleur craie, Eleanor contemplait Dio. Il avait maigri, son visage était tendu, son regard assombri.

— Ne me regarde pas comme ça ! s'écria-t-il. Je me sens encore plus coupable...

Il la prit par la main et l'entraîna. Comme un zombie, elle le suivit. En cet instant, elle était incapable de réagir. Il attendit qu'ils soient installés à l'arrière de la limousine pour demander :

— Où étais-tu ?

— Dans un petit hôtel, en banlieue.

— Tu n'as pas songé un seul instant que j'allais être fou d'inquiétude ?

— Pourquoi ? Il y a longtemps que j'ai l'habitude de me débrouiller seule. Je n'étais pas perdue, tu sais ! Je ne m'affolais pas...

— Moi, si.

— Parce que tu n'arrivais pas à me trouver ? Tu n'avais pas besoin d'en faire toute une histoire ! D'autant plus que je n'avais pas disparu pour toujours. J'avais bien précisé, dans mon petit mot, que...

— Parlons-en, de ton petit mot !

Et il le cita mot pour mot :

— « Dio, pardonne-moi, comme j'avais besoin d'argent liquide, j'ai pris quelques billets dans ton portefeuille. Je pars car j'ai besoin de réfléchir.

Notre mariage a été une erreur. Je te contacterai. N'essaie pas de me retrouver. De toute façon, je ne crois pas que je te manquerai. »

— Tu as appris ça par cœur ? s'étonna-t-elle. Ecoute, j'étais très énervée et j'avais peu de temps. Tu as de la chance, j'aurais très bien pu partir sans te laisser le moindre message — après tout, je t'avais prévenu de vive voix !

— Qu'as-tu fait pendant ces deux semaines ?

— Des projets…

C'était faux. Elle s'était contentée de se promener pendant la journée. De s'asseoir dans une bibliothèque municipale quand elle était fatiguée. De se forcer à manger — parce qu'il ne fallait pas que le bébé pâtisse de cette situation. Et de vider des boîtes de Kleenex toutes les nuits… Mais jamais elle n'admettrait avoir pleuré toutes les larmes de son corps sur la faillite de leur mariage.

La voiture s'arrêta. Elle en descendit la première puis regarda autour d'elle avec stupeur.

Elle s'attendait à voir la rue de Dio, son immeuble, et voilà qu'elle reconnaissait l'hôtel particulier qu'ils avaient visité la veille de son départ !

— Que faisons-nous ici ?

— J'ai acheté cette maison, expliqua-t-il en s'effaçant pour la laisser entrer dans le hall.

— Oui, tu avais dit que c'était un bon investissement, dit-elle avec indifférence.

Elle leva les yeux vers lui et retint sa respiration. En dépit de son visage tendu, il paraissait plus séduisant que jamais dans ce costume anthracite.

— Qu'as-tu fait de mes vêtements ? interrogea-t-elle. Je n'avais emporté qu'un minimum…

— Tu trouveras tout dans notre chambre.

— Ah ! Tu n'as pas dit aux domestiques que je ne reviendrai pas ? Elle était déjà dans l'escalier.

— Où vas-tu ? s'étonna Dio.

— Puisque je suis ici, autant en profiter pour faire mes valises. Ça m'épargnera un autre voyage.

Il y eut un silence. Puis Dio déclara d'une voix mal assurée :

— Je sais que je me suis conduit comme… comme un idiot.

— Je t'en prie ! Ce n'est pas plus ta faute que la mienne. Tu as jugé de ton devoir de m'épouser parce que j'étais enceinte. Malheureusement, on ne peut rien construire de solide sur des bases pareilles. Comme je te le disais dans le message que t'a transmis Sally, je souhaite divorcer… On ne sera pas les premiers —ni les derniers — à se rendre compte que notre mariage est un échec.

— Eleanor…

— Ma décision est prise. Point final.

Dio apparut à la porte du dressing-room au moment où elle décrochait ses vêtements et en faisait une pile sur la moquette.

Elle s'efforçait de garder son calme, de rester glaciale, mais c'était bien difficile. Si elle s'était écoutée, elle aurait fondu en larmes.

— Il y a quelque chose que tu dois savoir, commença Dio avec gravité. Helena est la seule et unique responsable de cet article ignominieux.

A ces mots, Eleanor laissa tomber la robe qu'elle avait à la main.

— Ça a dû te faire un choc, réussit-elle à murmurer. Toi qui la vénérais ! Moralité, les hommes ne savent pas y voir clair, tandis que les femmes ont plus d'intuition.

Haussant les épaules, elle poursuivit :

— Pour ce que ça sert… Tu dois être content de savoir qu'elle était prête à tout pour que tu lui reviennes ?

— Ce n'est pas moi qui l'intéresse. C'est mon argent. Ma position dans la société.

— Tu l'as toujours su, non ? Votre mariage sera, comme tu me l'as dit un jour, une association entre deux familles, deux fortunes.

D'un ton acide, elle lança :

— Vous avez les mêmes valeurs, non ?

— Tu ne me pardonneras donc jamais de ne pas t'avoir crue ?

— Quelle importance, maintenant ?

Elle lui tourna le dos pour ne pas lui montrer ses larmes.

— Comment as-tu découvert qu'elle était à l'origine de cet article ? s'enquit-elle néanmoins.

— Avec de l'argent, on obtient tous les scoops qu'on veut. Helena avait engagé un détective privé pour faire une enquête sur ton compte.

— Je le savais, j'aurais pu te le dire.

— Puis elle est allée à la rédaction du journal en question, a donné toutes ses informations… et des instructions bien précises : l'article devait noircir ta réputation au maximum.

Tout en discutant avec Dio, Eleanor continuait à empiler ses vêtements par terre. Depuis qu'elle était rentrée à Londres, elle s'était constitué, poussée par Dio, une garde-robe imposante.

— Tu as vu l'interview que j'ai donnée à ton sujet ? demanda-t-il.

— Non.

— J'espérais que cela te ferait revenir.

Après un silence, il reprit :

— Helena a prétendu n'être pour rien dans cette affaire. Elle mentait de manière fort convaincante, dois-je dire ! Mais quand je lui ai dit que Sally l'avait entendue t'insulter, le jour du mariage, elle a perdu de sa superbe.

— Ah ! Sally t'a raconté cet incident…

— Pourquoi ne m'en as-tu pas parlé ?

Elle eut un rire dur.

— M'aurais-tu crue ? Tu crois Helena, tu crois les ragots d'un journaliste, tu crois Sally… Bref, tu crois tout le monde sauf moi.

— Jamais je n'aurais pensé Helena capable de s'abaisser à un acte pareil. Quand je l'ai obligée à reconnaître la vérité, elle s'est transformée en furie ! Il lui fallait enfin admettre qu'elle avait perdu !

— Elle n'a pas perdu, tu te trompes. Elle a gagné… et sur toute la ligne !

Eleanor s'essuya les joues d'un revers de la main avant de poursuivre :

— Au départ, nous n'avions pas grand-chose en commun, toi et moi — maintenant, nous n'avons plus rien.

— J'ai été idiot, j'ai été aveugle… Tu me hais ?

— Quelquefois, oui.

Eleanor lui fit face. Ses larmes s'étaient taries et ses grands yeux émeraude semblaient plus lumineux que jamais.

— Le jour où Helena est venue me trouver à la librairie, elle m'a fait peur, vraiment peur ! Elle s'est moquée de ma mère, elle m'a insultée. Puis, avec un dédain infini, elle m'a proposé de l'argent pour que… que…

Sans terminer sa phrase, elle posa, dans un geste éloquent, la main sur son ventre qui s'arrondissait à peine.

— Je t'ai parlé de cela, reprit-elle. Tu m'as répliqué que j'affabulais.

— Eleanor…

Elle lui coupa la parole.

— J'ai été stupide d'accepter de t'épouser. Tu étais là, j'avais l'impression qu'auprès de toi, j'allais enfin trouver la sécurité dont j'ai manqué toute ma vie. On ne peut pas dire que ç'a été une réussite ! termina-t-elle avec un rire sans joie.

— Eleanor…

— Nous aurions divorcé de toute manière. Ton Helena n'a fait que précipiter les choses.

— Elle m'a parlé de toi en des termes tels que, pour la première fois de ma vie, j'ai cru que j'allais battre une femme !

— Tu lui en veux ?

— Et comment !

Avec un geste mécanique, Eleanor referma le placard à vêtements.

— Alors tu n'as pas l'intention de l'épouser après notre divorce ?

— Epouser cette manipulatrice ? Tu es folle !

— Tu as mis du temps à percevoir sa vraie nature, mais tes yeux se sont enfin dessillés. Félicitations ! A propos, as-tu une valise à me prêter ?

— Attends, Eleanor ! Attends un peu, je t'en prie.

C'était presque une supplication.

— Laisse-moi te parler d'Helena.

Il n'avait donc pas pitié d'elle ? Cherchait-il à la blesser davantage ?

Elle devinait ce qui allait suivre : Dio allait lui exposer ses regrets d'avoir perdu Helena, sa tristesse de découvrir que celle qu'il aimait n'était pas aussi parfaite qu'il l'imaginait… Mais Eleanor ne se faisait guère d'illusions : dans quelques mois, il oublierait tous ses griefs contre Helena. Cette femme, qui était loin de manquer d'adresse, saurait s'arranger pour se montrer sous son meilleur jour. Pour l'instant, Dio était peut-être déçu par son comportement, mais tôt ou tard, il passerait l'éponge et tout se terminerait au mieux. Car il avait toujours aimé Helena… et il l'aimerait certainement toujours.

Dio paraissait soudain si malheureux qu'Eleanor eut envie de le consoler. Même si c'était à cause d'Helena qu'il souffrait.

— Sais-tu quel âge j'avais quand mon père m'a dit que, plus tard, Helena serait une femme idéale pour moi ? lança-t-il soudain. Cinq ans !

Eleanor avait peine à en croire ses oreilles.

— Cinq ans ! Et elle ?

— Elle en avait huit à l'époque.

— Mais c'est horrible d'influencer des enfants de la sorte !

— C'était l'usage dans nos familles, et je n'y trouvais rien à redire. Mon avenir semblait tout tracé : j'allais reprendre la direction d'Alexiakis International, j'allais épouser Helena. Le problème, c'était que je n'étais guère attiré par elle.

Eleanor ouvrit de grands yeux.

— Est-ce possible ?

— Tu la trouves chaleureuse et sympathique, toi ?

— Oh, non ! Mais…

— Certes, elle a reçu une éducation parfaite, elle est très jolie et distinguée.

Eleanor ne cacha pas son agacement :

— Alors tu t'es dit : « Je l'épouse pour faire plaisir à mon père et parce qu'elle me fera honneur… mais comme sa compagnie ne sera pas très drôle, je prendrai aussi une maîtresse. »

— Certains hommes trouvent très naturel de vivre ainsi.

— Tu ne m'apprends rien, murmura Eleanor avec amertume.

— Je ne prétendrais pas avoir mené l'existence d'un moine avant de faire ta connaissance. Mais tu es tellement différente des autres femmes ! Nous avons eu à Chindos une nuit… magique. Et puis j'ai tout gâché…

— Ensuite tu m'as épousée et tu as de nouveau tout gâché.

— Eleanor, lorsque tu m'as appris que tu étais enceinte, j'ai compris que je t'aimais.

Elle n'allait certainement pas ajouter foi à cette déclaration d'amour inattendue.

— Je t'en prie, pas de mensonges ! J'y vois clair, tu sais. Tu tiens tellement à ce bébé que, pour avoir des droits sur lui, tu es prêt à raconter n'importe quoi.

— Non, Eleanor, fit-il avec gravité. J'aurais dû te dire que j'étais amoureux de toi… Mais avant cela, il fallait que je mette les choses au point avec Helena. Je me sentais des devoirs envers elle. Voilà pourquoi, avant notre mariage, je suis allé la trouver pour lui expliquer franchement ce qui se passait.

— Tu lui as dit que…

— Que j'aimais une autre femme et que celle-ci attendait un enfant de moi.

— Comment a-t-elle réagi ?

— Elle a prétendu que tout le monde allait se moquer d'elle si je l'abandonnais. Que j'avais le devoir de l'épouser, mais qu'elle n'était pas possessive et qu'elle saurait fermer les yeux si je prenais une maîtresse.

Eleanor hocha la tête.

— C'est après cela qu'elle est venue me trouver à la librairie pour me répéter à peu près la même chose… et me proposer un demi-million de livres pour un avortement. Quand j'ai refusé, elle a monté les enchères à un million !

Dio crispa les poings.

— Je le sais. Elle a admis t'avoir proposé ce marché. Selon elle, je pouvais avoir toutes les maîtresses que je voulais… mais pas d'enfants. Sauf avec elle, bien sûr !

— Qu'as-tu répondu ?

— Que je t'aimais trop pour me contenter de te laisser dans l'ombre…

Cette fois, quand il attira Eleanor contre lui, elle ne résista pas. Les yeux clos, elle se laissa aller sur la solide poitrine de son mari. Elle avait l'impression d'être un bateau qui, après s'être perdu dans la tempête, regagnait enfin le port.

— Si tu m'avais dit que tu m'aimais, jamais je ne serais partie, murmura-t-elle.

— Ne pars plus jamais, je t'en prie. Je t'aime, Eleanor !

Le petit Spiros dormait à poings fermés dans son berceau. A quatre mois, c'était un adorable bébé aux yeux aussi noirs que ceux de son père et aux cheveux aussi blonds que ceux de sa mère.

Ces dernières vingt-quatre heures avaient été très animées. La veille, Dio avait tenu à donner une grande fête à Londres pour célébrer le premier anniversaire de leur mariage. Puis, ils s'étaient envolés pour l'île de Chindos où une autre fête devait avoir lieu.

Un an, déjà… Une année entière s'était écoulée depuis qu'elle avait dit « oui » à Dio. Une merveilleuse année d'amour. Une année magique…

Eleanor retourna dans sa chambre pour revêtir une robe de flamenco en satin doré qu'elle avait fait spécialement confectionner pour ce soir-là.

Sur une table se trouvait un magazine où elle avait découvert une photo du mariage d'Helena Teriakos avec un Grec richissime. Le mari d'Helena semblait aussi glacé qu'elle, avec ses yeux froids et ses lèvres pincées.

— Ils forment un couple bien assorti, avait-elle dit à Dio en lui montrant la page en question.

Eleanor avait chargé une femme de chambre de remettre un petit mot à Dio, qui travaillait dans son bureau. Dans cette missive, elle le convoquait au bungalow de la plage sans la moindre explication.

Elle n'avait pas de temps à perdre si elle voulait arriver là-bas avant lui !

Vêtue de sa robe à volants dorés, elle courut jusqu'à la petite villa où ils avaient connu leur première nuit d'amour ensemble.

Elle alluma des bougies un peu partout, mit un disque de flamenco. Ce serait son cadeau d'anniversaire pour son mari.

Elle esquissait quelques pas de danse lorsque la porte s'ouvrit. Elle s'arrêta aussitôt et adressa un regard sensuel à son mari.

— C'est ainsi que tout a commencé, murmura Dio. J'ai soudain l'étrange impression d'être revenu en arrière.

Eleanor se précipita dans ses bras.

— Comme je t'aime, Dio !

— Moi aussi, je t'aime, mon amour. Chaque jour un peu plus…

— Je suis si heureuse avec toi.

— Et moi, je suis le plus heureux des hommes !

Là-dessus, il lui glissa au doigt une bague étincelante de diamants.

— Oh, Dio ! Elle est merveilleuse.

— La date de notre première rencontre est gravée à l'intérieur de l'anneau.

— Tu penses à tout.

Il l'étreignit et leurs lèvres se rencontrèrent. Puis Dio releva la tête pour la contempler avec passion.

— Tu n'as pas oublié les bougies ni la musique… mais j'avais déjà apporté du champagne et un souper fin.

Elle haussa les sourcils.

— Mon petit mot n'a donc pas été une surprise ?

— Non, nous avons eu la même idée. Et sais-tu comment cela va se terminer ?

Elle feignit de ne pas comprendre.

— Je n'en ai aucune idée…

— Adorable menteuse !

Il la souleva sans effort apparent.

— L'homme des cavernes, le gardien de chèvres va emporter sa proie dans son antre et lui faire subir les pires outrages…

A ces mots, leurs lèvres se joignirent de nouveau, comme un prélude à l'union passionnée de leurs corps.

Avant-première

RED DRESS INK

La collection des citadines branchées

Tournez vite la page
et découvrez en exclusivité
un extrait du roman *City Girl*
de Sarah Mlynowski

City Girl, une comédie détonante
à lire de toute urgence !

A paraître dès le 1ᵉʳ juin

Ce titre n'est pas disponible au Canada

1.

Le salaud !

Le salaud ! Comment a-t-il osé me faire ça ?

Atterrée, je relis le mail de Jeremy. Non, le doute n'est plus permis. Tout est terminé. Hagarde, je compose le numéro de Wendy…

D'habitude, c'est Natalie qui assure la hot-line téléphonique en cas de catastrophe mineure : augmentation refusée par rédac' chef mal lunée, couleur de cheveux massacrée, numéro de téléphone du livreur de sushis égaré. Mais là, il s'agit d'un drame de force majeure. Un séisme de niveau dix sur une échelle qui n'en compte que neuf.

L'abomination de la désolation.

L'étendue de la tragédie me commande d'appeler immédiatement Wendy, ma directrice de conscience et ma meilleure amie — sorte d'hybride naturel de Gemini Cricket et de mère Teresa.

J'aggrave mon cas auprès de mon employeur par un appel personnel longue distance à New York ? M'en fiche. De toute façon, ma vie est foutue.

D'un agile coup de souris, fruit d'une longue pratique, je réduis la fenêtre de ma messagerie au format confetti, au cas où la rédac' chef passerait son museau par ma porte. Si elle déboule sans prévenir, Shauna-la-Fouine ne verra sur l'écran de mon ordinateur que la page en cours de correction de *Millionnaire, cow-boy et futur papa*, ce chef-d'œuvre de la littérature moderne que je suis censée relire, et non l'acte de pur sadisme que Jeremy vient de m'envoyer de Thaïlande sous forme de mail.

Envoyer ? Non, assener. Direct dans les dents.

— Wendy Smith, annonce celle-ci de sa voix de business woman over-charrette.

— C'est moi.

— Betty ? Tiens, c'est drôle, je pensais justement à toi. Je dois avoir des pouvoirs psychiques ! plaisante Madame Irma, inconsciente du drame qui vient de me fracasser en plein vol, me laissant plus bas que terre, l'âme brisée et le cœur en mille morceaux (c'est une estimation, on n'a pas encore retrouvé la boîte noire).

Pas de temps pour les mondanités, je vais droit au but. J'aboie, au bord des larmes :

— Ton pendule intérieur ne t'a pas prévenue que ce salaud allait rencontrer la femme de sa vie en Thaïlande ?

Et comme si ça ne lui suffisait pas, qu'il m'enverrait un mail pour me décrire ses turpitudes par le menu ? Le salaud ! Je ne lui adresserai plus jamais la parole. S'il m'envoie un nouveau mail, j'appuierai sur la touche « efface » sans même l'ouvrir. S'il téléphone, je lui raccrocherai au nez. S'il se rend compte qu'il ne peut pas vivre sans moi, saute dans le premier vol pour Boston et se rue chez moi avec un diamant gros comme cinq fois son salaire — je veux dire, en supposant qu'il soit capable de gagner un salaire — je lui claquerai la porte au visage.

Bon, peut-être pas tout de suite. Je lui laisserai d'abord une chance de s'expliquer.

C'est que j'aimerais bien ne pas finir vieille fille, tout de même.

— Le salaud ! s'écrie Wendy. Comment a-t-il osé te faire ça ?

Ce qu'il y a de bien avec Wendy, c'est qu'on est souvent sur la même longueur d'ondes.

— Et d'abord, qui est cette fille ?

— Sais pas. Une bimbo quelconque qu'il aura trouvée en cherchant son moi profond. Il me laisse trois semaines sans nouvelles et hop ! un mail pour me dire « salut, comment ça va, moi ça baigne, je viens de rencontrer l'Amour. »

— Quelle horreur, il a vraiment dit ça ?

Je réprime un rire hystérique. Comme si Jeremy était capable d'écrire le mot amour, ou même de le prononcer ! Au fil des années, j'ai fini par formuler l'hypothèse qu'il souffre d'un handicap génétique lui interdisant de combiner les lettres A-M-O-U-R dans cet ordre précis.

Oh, je le déteste !

— Ce n'est pas exactement ce qu'il a écrit. Il dit seulement qu'il veut que je sache qu'il voit quelqu'un.

— Attends… Je croyais que tu lui avais précisé que tu le laissais libre de faire des rencontres ?

— Justement, c'était pour lui donner l'occasion de me rester fidèle.

Ce jour-là, j'ai surtout raté une occasion de la fermer.

Depuis que j'ai lu son mail, je visionne en boucle le film de ses orgies sous les cocotiers en compagnie de beautés thaïes nues et frétillantes. Et au lieu de concentrer la fine fleur de mon intelligence sur *Millionnaire*, j'imagine Jeremy, dopé aux aphrodisiaques, faisant sauvagement l'amour à une déesse hollandaise d'un mètre quatre-vingts style Claudia Schiffer en talons aiguilles et lingerie sexy sur une plage de sable blanc.

Récapitulons. Au départ, Jeremy était supposé partir un mois en Thaïlande pour faire le point et me revenir transi d'amour, les sentiments galvanisés par la séparation, enfin conscient de la profondeur de sa passion pour moi et fermement décidé à consacrer le reste de ses jours — et de ses nuits — à couvrir mon corps nu de baisers torrides en répétant sur tous les tons le mot A-M-O-U-R.

Pourquoi n'a-t-il rien compris ? Ma demande était pourtant limpide !

— Betty, il faut regarder la vérité en face, annonce Wendy, lugubre. Voilà deux mois qu'il roule sa bosse à travers la Thaïlande. A l'heure qu'il est, il a déjà dû coucher avec la moitié du pays. Si tu me lisais ce mail, que je mesure l'étendue des dégâts ?

Répéter ces horreurs à voix haute dans le bureau ? Plutôt crever de dysenterie sur la paille humide d'un cachot thaïlandais !

— Peux pas. Je te le fais suivre, attends une seconde.

D'un clic rapide, j'expédie l'instrument du mal vers l'adresse e-mail de Wendy. *Millionnaire* revient sur mon écran, ni vu ni connu.

— … là, tu l'as reçu ?

— Oui… un instant, marmonne Wendy, j'ai un autre appel sur la ligne.

Elle me met en attente, et aussitôt, une version instrumentale de *My Way* remastérisée pour ascenseurs m'emplit les oreilles. Un malheur n'arrive jamais seul.

Cette fois-ci je dois pleurer pour de bon car l'écran de mon ordinateur commence à se brouiller, un peu comme quand Jeremy essaie de régler la télévision.

Essayait, puisque je vais devoir m'habituer à parler de lui au passé.

Allons, pensons positif. Pensons joyeux, pensons pétillant ! Pensons pot géant de Häagen Dazs aux noix de pécan devant la vidéo de *Mary Poppins* avec Julie Andrews. Pensons billet de loto gagnant et expédition punitive dans les grands magasins aux rayons des sacs à main, maquillage et lingerie fine, munie d'une carte American Express Gold. Non, achat du grand magasin. Avec les vendeurs masculins, si possible.

Je me sens déjà mieux. L'écran retrouve peu à peu sa netteté. Mais poursuivons notre périple dans les souvenirs heureux… La caresse de Jeremy, quand il dessinait des petits ronds avec son pouce à l'intérieur de mon bras.

Touche « efface ». On recommence.

Le jour où le Pr McKleen m'a donné un dix-huit sur vingt pour ma dissertation sur Edgar Allan Poe. Le jour où on m'a retiré mon appareil dentaire et où je suis restée une heure à me sourire dans le miroir de la salle de bains, ravie de ne plus ressembler à Requin, dans *L'Espion qui m'aimait*. Le jour où ma demi-sœur Iris m'a déclaré qu'elle me considérait comme la fille la plus sexy qu'elle connaisse — Gwyneth Paltrow, en plus jolie.

Allez, tout va bien à présent. Je suis d'une sérénité qui ferait passer le Dalaï-Lama pour une puce sauteuse.

C'est précisément l'instant que choisit Helen, ma voisine de box, pour se pencher par-dessus la demi-cloison qui nous sépare.

Helen est une extraterrestre dotée de superpouvoirs terrifiants, en particulier celui de faire irruption au moment le moins indiqué. Pardon, ce n'est pas possible ? Alors comment fait-elle pour passer sa tête de poule étonnée par-dessus la cloison *juste* quand je viens de me brancher sur

Beauxmecs.com ? ou pour rôder dans le couloir à l'instant *précis* où j'essaie de me faufiler en douce dans mon box les matins de léger retard ?

Helen est un personnage aussi remarquable qu'exaspérant, qui ressemble un peu à la maman d'E.T. et possède la capacité de nuisance d'un bouton qui vous pousse au milieu du nez pile le jour de la fête de fin d'année, ou de vos règles qui arrivent le matin de la virée à la plage avec votre bande de copains, le jour même où vous aviez prévu d'étrenner votre adorable petit Bikini blanc acheté en solde (une misère !) chez Marks & Spencer.

En la voyant s'agiter à ma droite, je comprends qu'il est urgent de protéger mon espace vital. Il y va de ma survie personnelle. Je fixe ma voisine entre les deux yeux — il paraît que c'est là qu'il faut regarder les poules pour les hypnotiser.

— Oui, Helen ?

Elle me demande, très première de la classe :

— Tu ne peux pas faire moins de bruit ? J'ai du mal à me concentrer.

Fayot ! Je me souviens que le jour de mon arrivée chez Cupidon & Co, je me suis solennellement juré de ne jamais me laisser polluer l'oxygène par cette madame J'en-saurai-toujours-plus-que-vous. Ce matin-là, alors que je venais de lui annoncer, façon de lui faire tâter de l'épaisseur de mon bagage intellectuel, que j'avais fréquenté l'université de Penn — presque aussi cotée que Harvard ! — elle m'a regardée d'un air condescendant.

Elle avait connu une camarade qui elle aussi s'était inscrite à Penn car elle ne supportait plus la pression à Harvard. Elle-même, bien sûr, était sortie major de sa promo.

A Harvard.

Ensuite, il y a eu cet épisode tout aussi douloureux pour mon ego où, dans un élan de bonne volonté que je ne me pardonne pas, je me suis penchée par-dessus la séparation de nos box pour la prévenir que je devrais partir en avance pour aller au docteur.

— On dit « chez le médecin », Betty, a-t-elle rectifié sans même lever le nez de son écran.

De ce jour, je me suis retranchée dans une cohabitation polie mais glaciale. J'ai ma dignité.

Pourtant, et pour une raison que je ne m'explique pas, le petit peuple des secrétaires de rédaction semble considérer Helen comme un don de la Providence pour Cupidon & Co. « Helen, tu es la diva de la ponctuation ! Pourquoi n'écris-tu pas un manuel ? » s'extasient-elles. Quand ce n'est pas : « Raconte-nous comment c'était, Harvard ? » ou pire : « Si tu nous parlais de ta théorie de la déconstruction subjective dans l'*Ulysse* de Joyce, Helen ? »

O.K., j'exagère un brin. Mais citez-moi une seule femme normalement constituée capable de consacrer ses pauses-déjeuner à la lecture d'ouvrages aussi folichons que, pour n'en citer qu'un, *Paradigme pour une métaphysique appliquée à la narratologie historique* ?

Le plus étonnant, c'est que ma froideur à son endroit ne paraît pas la décourager. Mon petit doigt me dit qu'elle doit bouillir d'impatience de m'exposer ses théories percutantes sur la déconstruction subjective et la critique littéraire post-moderne.

Pas plus tard qu'hier matin, j'ai encore eu droit à une tentative d'incursion sur mes territoires. « Est-ce que je t'ai déjà raconté que, quand j'étais en première année à Harvard, Jim — tu sais, Jim Galworthy, le prix Nobel de littérature — voulait absolument que je donne des conférences dans tout le pays pour présenter ma thèse ? Il est vrai qu'elle est si innovante... »

Et patati, et patata. Moi aussi, ma poule, j'ai une maîtrise de lettres modernes. Bon, une demi-maîtrise, puisque je n'ai terminé que la première des deux années. Mais comme je dis toujours, pour ce que je gagne ici, c'est bien suffisant, n'est-ce pas ?...

Rendez-vous dès le 1er juin au rayon poche de vos hypermarchés, supermarchés, magasins populaires, librairies et maisons de presse et retrouvez le roman ***City Girl***, de Sarah Mlynowski.

Vous pouvez également commander ce roman en contactant notre Service Lectrices au 01.45.82.47.47.

Le nouveau visage
de la collection Or

◆

AMOURS D'AUJOURD'HUI

Afin de mieux exprimer sa modernité et de vous séduire encore davantage, votre collection Or a changé de couverture et de nom depuis le 1er mars 1995.

Rassurez-vous, les romans, eux, ne changent pas, et vous pourrez retrouver dans la collection **Amours d'Aujourd'hui** tous vos auteurs préférés.

Comme chaque mois, en effet, vous y attendent des héros d'aujourd'hui, aux prises avec des passions fortes et des situations difficiles...

COLLECTION
AMOURS D'AUJOURD'HUI :
Quand l'amour guérit des blessures de la vie...

Chère lectrice,

Vous nous êtes fidèle depuis longtemps?
Vous venez de faire notre connaissance?

C'est pour votre plaisir que nous avons
imaginé un rendez-vous chaque mois
avec vos auteurs préférés, vos
AUTEURS VEDETTE dans les
collections Azur et Horizon.

Les AUTEURS VEDETTE vous
donneront rendez-vous pour de
nouveaux livres vedette.

Pour les reconnaître, cherchez
l'étoile... Elle vous guidera!

Éditions Harlequin

HARLEQUIN

LE FORUM DES LECTEURS ET LECTRICES

CHERS(ES) LECTEURS ET LECTRICES,

VOUS NOUS ETES FIDÈLES DEPUIS LONGTEMPS?

VOUS VENEZ DE FAIRE NOTRE CONNAISSANCE?

SI VOUS AVEZ DES COMMENTAIRES, DES CRITIQUES À FORMULER, DES SUGGESTIONS À OFFRIR, N'HÉSITEZ PAS… ÉCRIVEZ-NOUS À:

> LES ENTREPRISES HARLEQUIN LTÉE.
> 498 RUE ODILE
> FABREVILLE, LAVAL, QUÉBEC.
> H7R 5X1

C'EST AVEC VOS PRÉCIEUX COMMENTAIRES QUE NOUS ALLONS POUVOIR MIEUX VOUS SERVIR.

DE PLUS, SI VOUS DÉSIREZ RECEVOIR UNE OU PLUSIEURS DE VOS SÉRIES HARLEQUIN PRÉFÉRÉE(S) À VOTRE DOMICILE, NE TARDEZ PAS À CONTACTER LE SERVICE D'ABONNEMENT; EN APPELANT AU (514) 875-4444 (RÉGION DE MONTRÉAL) OU 1-800-667-4444 (EXTÉRIEUR DE MONTRÉAL) OU TÉLÉCOPIEUR (514) 523-4444 OU COURRIER ELECTRONIQUE: AQCOURRIER@ABONNEMENT.QC.CA OU EN ÉCRIVANT À:

> ABONNEMENT QUÉBEC
> 525 RUE LOUIS-PASTEUR
> BOUCHERVILLE, QUÉBEC
> J4B 8E7

MERCI, À L'AVANCE, DE VOTRE COOPÉRATION.

BONNE LECTURE.

HARLEQUIN.

VOTRE PASSEPORT POUR LE MONDE DE L'AMOUR.

ROUGE PASSION

De fiévreuses histoires d'amour sensuelles!

De provocantes histoires d'amour passionnées et romantiques qu'on lit d'une seule traite. Aventureuses, parfois humoristiques, et sensuelles, elles mettent en vedette des hommes et des femmes d'aujourd'hui.

ROUGE PASSION...quatre nouveaux titres chaque mois.

L'ASTROLOGIE EN DIRECT
TOUT AU LONG
DE L'ANNÉE.

(France métropolitaine uniquement)
Par téléphone 08.36.68.41.01
0,34 € la minute (Serveur SCESI).

Composé et édité
PAR LES ÉDITIONS HARLEQUIN
Achevé d'imprimer en avril 2003

BUSSIÈRE
GROUPE CPI

à Saint-Amand-Montrond (Cher)
Dépôt légal : mai 2003
N° d'imprimeur : 31693 — N° d'éditeur : 9868

Imprimé en France